任熊评传

王伯敏书

周金冠 著

任熊评传

王伯敏书

華寶齋書社

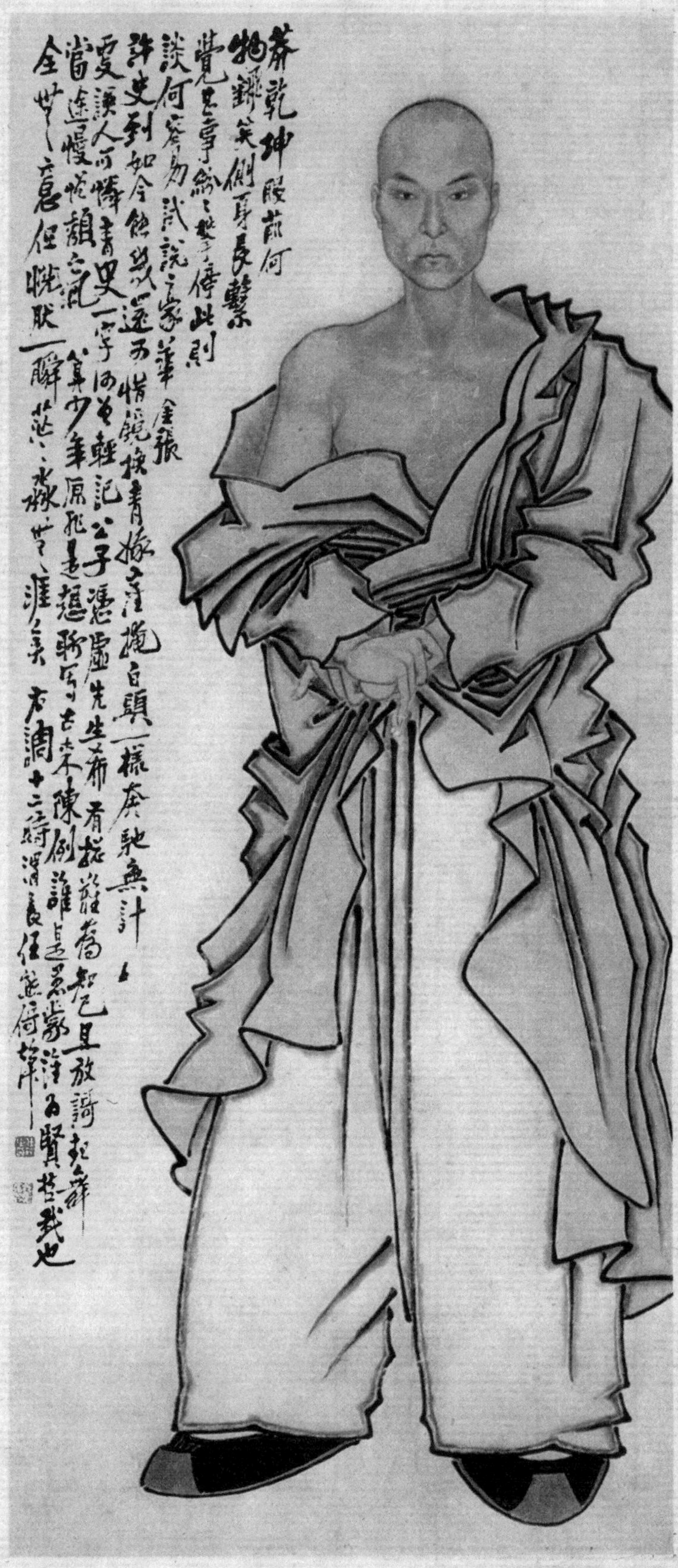

自畫像

彈阮圖

任熊評傳目録

一、導言

中國畫發展到近代，一方面繼承和總結了明末以來逐漸發展起來的文人畫世俗化傾向；一方面又從『揚州畫派』諧俗異趣的世俗性中受到啓迪與滋養。在當時特定的社會條件、城市環境、藝術氛圍下，的確，世俗化推動了傳統繪畫藝術的發展，而繪畫的世俗性又拓寬了傳統畫的題材範圍，這些終於形成了一直影響着當代中國畫壇的『上海畫派』。

從『揚州畫派』到『上海畫派』的形成和發展，這也是歷史的必然。如果說十七世紀末到十八世紀初的揚州，只是一個封建社會末期具有初步資本主義萌芽性質的商業城市，那末到一八四〇年鴉片戰爭後，上海成為通商口岸逐步發展為具有資本主義色彩的國際化大都市。這時，無論在經濟繁榮與文化發展上均比揚州等地更為興旺，據統計：一八四三年十一月至十二月，上海進出口總值為五十八萬九百零一兩。至一八五七年已激增至四千九百二十七萬八百二十八兩。(一)

此時客居上海的書畫家，據黃協塤《淞南夢影録》所載：『各省書畫家，以技鳴滬者，不下百人。』後來，楊逸在《海上墨林》中記載，則已由百餘人激增至數百人，如算當地的書畫家，人數就更多了。其中趣味相投者，又互結畫社，一時各呈所長，蔚為大觀，較著名的當推『三熊』和『四任』。(二)

『上海畫派』之所以能持久發展與有影響力，主要有這樣一些特點：

一、他們繼承並發展了我國繪畫的優良傳統，經過不斷的革新，終於創造出一代清新活潑，雅俗共賞的新局面。

二、他們的作品，大多充滿着時代的氣息，許多作品更體現出愛國主義的精神風貌。

三、他們中的有識之士，吸取並融會西方繪畫藝術與技法，開創了一種中西結合的新畫風。

四、他們不斷汲取、揉和我國民間書畫藝術的精華，使之更加為人欣賞與喜愛。

五、推動了畫家的職業化和繪畫商品化的進程。

二、任熊與海派繪畫世俗性的發展

(一)任熊的生平與成就

作為『海派』(『上海畫派』的簡稱，下同)創始人的任熊(一八二三——一八五七)，由於去世過早，留下來的資料不多，生平事迹也星散，以致生卒年都有好幾種説法，甚至一誤再誤，錯上加錯。(三)茲經訂證，簡為綜述：

任熊字渭長，又字不舍，號湘浦，浙江蕭山城厢人。據《蕭山任氏家乘》記載，他生於清道光三年(一八二三)的六月十二日，卒於清咸豐七年(一八五七)的十月初七日，終年三十五歲。(四)

其父任椿與族叔任淇俱善畫，在當地稍有名氣，受此影響，他自幼喜繪畫，凡景描勾填之法，畫男女老幼之容，無所不能。跟老師學畫時，因不願死板教條地恪守粉本，竊變其法，曾繪出『朝服翎頂者禿其顱矣；端拱者跌一足矣；缺嘴壞唇，無怪不具。』終於引起老師的不滿而離去。在任熊二十四歲時(清道光二十六年)，曾與友人至杭州聖因寺，觀摩唐高僧貫休所繪十六尊者石刻畫像，那千奇古崛的形態，為任熊所傾倒，嘆服，他寢卧其下，臨摹不倦，一直銘刻於内，我們從他日後所繪的《十六應真圖》册畫中還可見到這種影響。他對這些普通百姓喜愛的形似凶惡、實行善事的應真羅漢具有鮮明的親切感，他們個個法力無邊，可以不受物欲的束縛。也表明任熊從青少年起，即對繪畫的世俗性熟悉與喜愛，並有着深厚的基礎。

由於幼年喪父，家境清貧，當時弟妹年小(弟任薰比他小十二歲)，作為家庭的主要成員，生活的重擔自然落在他的肩上，他『事母至孝，視弟妹能友愛』，靠他的繪畫和賣畫來維持生計，先轉輾流寓於寧波、杭州、蘇州一帶，後又往來於上海，常在豫園九曲橋荷花池南岸的『飛丹閣』書畫社，聚會書畫界友人並交流畫藝與賣畫。

此期間，他先後得識周閑、姚燮諸名士，曾住在周閑的范湖草堂三年，後又住姚燮的大梅山館，其間臨摹古名畫，晝夜未輟，非常認真，必勝乃已。並研讀詩詞與繪畫創作，時畫藝日精，聲名益盛，主要力作有《大梅山館詩意圖》一百二十幅等。這段經歷對任熊日後學識造詣的提高很關鍵，使他由一名普通的畫家，登堂入室，終於成為有相當文化根底、既植根於民間繪畫又兼擅文人畫的獨樹一幟的大畫家。

一八五二年(清咸豐二年)，任熊三十歲，時客居蘇州的華陽道院，與蘇州的書畫名家在寓所共同發起組織『華陽道院書畫集會』，任為主持人，經常有聚集雅會，任熊曾作有《雅集圖卷》，記録書畫雅集的活動實況。(五)至一八五七年(清咸豐七年)五月，任熊因患肺病回故鄉蕭山，十月後病情加重，於初七日逝世，年僅三十五歲。『卒之日，吴越之民皆嘆惜不已』。病逝前還精繪《高士傳》二十六人像，終因不支缺兩圖而未竟。

任熊的繪畫，初學陳洪綬，並直追唐宋，三十後遂自成家。他竭力矯正當時流行的構圖平穩，色彩淡雅和甜熟柔媚等庸俗弊端，一變而為生動的寫意，色彩艷麗濃重，獨出新意，他富創造性，善世俗性，有自己的特色：『如手法的多樣，形象的鮮明，性格的刻劃入微，環境氣氛的描寫等，都有自己的成就，他敢於突破陳規，勇於創作，從而形成自己的風格特點』。(六)揉和着民間繪畫和文人畫於一爐。他短暫的一生，創作出無數的鮮明生動的具有愛國主義與民族精神為題材的佳作，故當時能得其一畫者，無不拱若珍寶，在十九世紀五十年代，他繪畫的世俗性方面，拓寬了傳統繪畫的範圍，其革新意義，一直影響到後來的繪畫藝術和發展。特別是任熊後期創作的《列仙酒牌》、《劍俠傳》、《於越先賢傳》、《高士傳》等四種人物繪畫，經著名刻家蔡照初鐫板印行後，得以廣泛流傳，被公認為『大俗大雅』，稱絶一時，且一版再版，對後世的影響就更為深遠了。

(二)任熊的交游與提高

在任熊結識的友朋中，有二人為其知交者，一是與其年齡相近的周閑，一是忘年之交的姚燮。

周閑(一八二〇——一八七五)，字存伯，别署存翁，又字小園，號范湖居士，居室名范湖草堂、退誤堂，浙江秀水(今嘉興)人。他比任熊大三歲，是浙西名士、書畫家，擅繪花卉兼工篆刻，清咸豐三年(一八五三)時，曾參與『滬濱之戰』，授為『郎官』，任熊死後曾任新陽縣令，他的畫作後來被收入《名人翎毛草蟲集》與《金石家書畫集》。

據周閑《任處士傳》載：『道光歲戊申(一八四八)，始交周閑於錢唐(今杭州)，留范湖草堂三年，終日臨撫古人佳畫，略不勝，輒再易一縑，必勝乃已。夜亦秉燭未嘗輟，故畫日益精，周閑喜客，客多誦任熊名，故名日益盛揚，』從上述記載可知，一是任熊二十六歲時始交周閑於杭州。二是任在周閑的范湖草堂一住三年，晝夜臨摹古人佳畫，必勝乃止，使任熊的畫藝得到進一步的提高。三是周閑乃浙西名士，有許多朋友，通過輾轉介紹，任熊的畫名得以日益盛揚。通過多年的交往，他們的關係更為密切，故凡名山大川，兩人必偕出同游，蹤跡遍江浙。咸豐七年(一八五七)時，任熊身患重病歸故里，十月病故，在病故前一個月，因周閑至蕭山，任熊還扶病親自陪周閑掉扁舟游湘湖，還為周閑精繪《范湖草堂圖卷》，兩人關係之密切可知，故周閑在任熊死後寫《任處士傳》，有這樣一段記録：『任熊自有疾不出户者五閲月，周閑來，始偕出，尋故人，攬名勝，興致頓佳。』

姚燮（一八〇五——一八六四）作為任熊的知音和忘年交，對任熊的幫助與影響同樣很大，他字梅伯，號子復、復莊、野橋、大梅山民等，浙江鎮海人，晚寓鄞縣。是著名的愛國詩人、詞人、畫家、傑出的戲劇家、小説家、浙東名士，由於久試不第，終於絶意仕進，唱出了『擲其腰劍向溝瀆，飄纓振策還長途。』從道光二十七到咸豐五年（一八四七——一八五五）間，他經常活動於杭州、蘇州，上海一帶，自謂『以貧累、馳吴，走西浙，賣文自給者又十年，』其實以後仍以作畫（主要畫梅）、撰文為其主要活動和經濟來源，在鴉片戰争時，他寫了許多反侵略鬥争的佳作，著有《復莊詩詞》、《疏影樓詞》等。他的畫梅，友人厲志贊以『君臂如石指如鐵，肝腑倔强氣騰驍。』楊逸在《海上墨林》稱其『巨幹繁花，氣體雄健』。王韜在《瀛濡雜誌》謂：『工畫梅，興酣落墨，媚態横生，人物花卉，無不奇特。於賣畫外，絶無求於人。』

關於任熊與姚燮的相識有兩種説法，一説是相識於周閑之范湖草堂。一説是相識

於任熊在寧波賣畫時，時任熊在人家檐下售畫，一長者見其畫頗詫異，選了四條屏後即問：『多少錢？』答以『二百文』，又問：『此畫僅值二百？』疑惑的接着問：『究竟是你所畫？』任熊以為在嘲笑他垂首答以『是人家餎我代售，畫者另有其人』。長者隨即情深意長地説道：『那末，請你告訴他，請他明日來舍下寄寓吧。這樣好才能却要埋没在風塵中，未免太可惜了。』並報了自己的姓名與住址，任聽後大驚纔慌忙下拜云：『老實話，這些畫是我任熊畫的。』有趣的答問，很富傳奇。任即寓居於姚燮之大梅山館，一住兩月餘，姚燮長任熊十八歲，他以師友與兄長之情，幫助任熊使其詩詞書畫都有提高，作品更臻成熟。在此期間，曾精繪《大梅山館詩意圖》一百二十幅，為姚燮長子景臯繪《宋元詞句仕女册》十六幅，在姚燮《文椎二編》付梓時，又為繪《姚燮五十歲肖像》，筆法洗練傳神，在大梅山館居住的日子裏，還時與姚燮聯合作畫，十分相得，故當時詩人黄燮清曾有『隔情疏影横斜，淡裝合伴梅花；欲識飛瓊姓氏，還尋種玉人家』。（七）以描述當時姚畫梅、任繪女之情景。還有《姚梅伯題任渭長人物》十二幅，（八）則是任熊繪畫姚燮題字。

在姚燮晚年的著作中，常提到任熊的畫作，如，《文椎》卷一有《任不舍宋元詞句畫册賦》，内有『慨任君之不永年，而此調成廣陵散』句，為追悼任熊而作。卷四、卷七還有為任熊

畫的《蓬萊閣雅集圖》、《晚晴樓七夕小宴圖》作的記，可知倆人友情、交誼之深。當時與任熊交游的友朋中，著名書畫家還有黄公壽、陳塤、胡公壽、楊韞華、韋光黻、齊學裘、丁文蔚、曹岣、孫聃、佘鏞、王玉璋、陸俣諸人，或雅集，或出游，從中吸取營養，他曾約友人共游鎮江之金山，焦山，北固山，據周閑《任處士傳》載：『游佳山水必造其險奥，一樹一石有奇致，亦必流連其間，曰：「此天生畫本也」。』説明他極重視師法造化，關於此，他的學生沙家英也有追記。(九)對於他的畫，友人們的評價也是很高的，如胡公壽在題任熊龜蛙的册頁上，一寫『觀渭長墨妙』。一寫『渭長點綴蟲魚生動有致，藝林中巨擘也』。以盛贊任熊的精湛畫藝。評論家張鳴珂見任熊的《四紅圖》後，贊道：『亦古雅，亦嫵媚，嘆觀止矣』。

〔三〕任熊繪畫的世俗性，拓寬了傳統繪畫

任熊自幼生活在民間，經受過民間藝術的熏陶，吸取民間繪畫的構圖、寫生、設色等特色，故其表現平民世俗生活的作品多清新自然，真摯可愛，深受社會的歡迎，因為世俗繪畫拓寬了人們的視野，開發了現實生活的真善美與詩情畫意。他很少在作品上以題詩的形式來表達含義，畫面簡潔易懂，富有情趣和生活的氣息，這些都已打破了陳陳相因的模式，使繪畫的領域更加開闊。

因為任熊的繪畫藝術是全面的、多樣的，故擬從他所傳下來的主要作品：人物、肖像、山水、花鳥等方面分别例析，以述其創新及對後世的影響。

(一)任熊的人物畫、肖像畫

任熊的人物畫，範圍極廣，一洗時習，盡變改琦、費曉樓派的閨閣氣而呈雄健。他所繪的劍俠、烈士、仙佛、高士與民間人物等，衣紋圓勁，創為雙鈎，畫面蒼古，有濃鬱的裝飾性。他以多種不同韻律的綫條，繪構各類人物造型，塑造出各個時期、不同性格、不同氣質的不同形象，其綫條的組合、節奏、動向與留白位置各不相同，均取得微妙的效果和成果。他創造出這許多的人物造型，均從我國幾千年的歷史故事和現實生活中攝取各種原形，經過加工精飾而後繪製。如人物畫《鍾馗》、《麻姑獻壽》等則來自民間題材，他也勇於擺脱陳舊模式，極富創意，如《大梅山館詩意圖册》中的《女孛騎虹圖》，畫一半裸女郎横跨彩虹之上，構思奇異，色彩運用和構圖布局均大膽新穎，如《盲歌陳缶匏》，他以簡練的筆墨，真實的描繪了夏日江南水鄉的風俗，豆棚之下兩個盲藝人相向而坐，一袒

裸上身擊書鼓，一穿着露背短衫彈三絃，正在説唱，引來許多聽衆，扶老携幼，持扇挾櫈，紛然而至，有的已坐下静聽，人物神態刻劃生動，環境佈局富有韻律感，樹木、遠山用筆瀟灑簡練，生活情趣濃厚，如《販婦竿挑一袢虱》圖中，畫一倚窗外眺的貴婦人，窗外却走來一個窮苦的婦女，用一枝竹竿，挑着一條短褲，畫上題云：『東家大姑珠翠頭，販婦竿挑一袢虱，』這是對當時社會的揭露，有意識地把這一對貧富懸殊的婦女，緊湊在一個小畫面上形成强烈的對比。這些來自低層民間生活的圖景，都極大的豐富和發展了海派繪畫的世俗性方面。

對肖像畫，他早就反對千古不變的老框框，他繪肖像要求突出個性，準確地刻劃人物的内心情感，如《自畫像》、《丁蘭叔三十歲小像》、(一〇)《復莊先生五十歲像》、《少康像》等，畫法大都以墨骨為主(也有的施色)，在墨綫邊稍加渲染，這和以色彩層層渲染不同。這種以墨綫不加渲染，也是對傳統肖像畫的一大發展，任頤後來繪製肖像畫也是以此為基礎，可見其影響。特别是他的《自畫像》，後人評論為『在清代畫家自畫像中，最為傑出。』(一一)畫中的任熊挺身而立，雙目注視前方，緊閉唇口，表情嚴峻，身着寬服肥褲，右肩及胸部袒露，足登布鞋，兩手緊握在胸腹之間，恰似按着一柄寶劍，整幅畫面看去，真有一股凛然豪俠的風度與氣概。

(二)任熊的山水畫

主要以精微絢麗著稱，雖是繼承唐宋青緑山水的傳統，但他進而以强烈色彩的表現力，使之充满生機和人間情趣，代表作品有《十萬圖册》和《范湖草堂圖卷》。後者現藏上海博物館，縱三十五點八厘米，横七百零五點四厘米，全卷以分段取景、局部特寫的藝術手法，描繪了錦繡多姿的范湖草堂風貌。卷首以浩瀚烟波，映襯了水環山，山抱水的幽奇意境，其間池沼荷塘，亭臺屋宇，曲徑回廊，虬松垂柳，古木奇卉分佈穿插，各得其宜，筆法秀勁，富於幽趣，設色濃麗清雅兼備，鮮明而不顯浮華。此卷為任熊傳世精作之一，既不同於元畫的孤寂清冷，不食人間煙火味；也不同於明清宫廷界畫那様的虚幻臆想的渺茫感；又不同於清代四王那種法度森嚴、刻板少變的傳統繪法。他强調畫面形式的愉悦感和色彩的表現力，以真山真水來表現世俗性繪畫的特點。

當然，任熊的山水畫，還有以率意超逸來表現的另一種形式，但這不是他的主要方面，這類作品代表性的有《秋林共話圖》。

(三)任熊的花鳥畫

花鳥畫是國畫中素為人們喜愛的一個畫種，其題材的廣泛，不僅指花卉、魚蟲、禽鳥而言，還包括走獸等。而且國畫中除山水，人物之外的題材，均可屬於花鳥的範疇。任熊的花鳥畫，既繼承了陳老蓮的古艷瘦硬的畫風，還汲取了石濤、八大與『揚州八怪』的潑辣多變的大寫意畫法。他突破了鄒一桂式的構圖平穩，甜熟柔媚的畫風束縛，開創了新鮮活潑的花鳥畫新風，具有自己獨特的面貌：結構靈巧、筆力剛勁、勾勒方硬、色彩鮮麗、富有裝飾味。他不單注意物象的描寫，更重視畫之意境，達到畫中有詩，情景交融的效果。有時還吸收書法之用筆，故被人評以『波磔和篆隸八分，嫵媚中多蒼古之趣，獨開生面，真絕技也。』主要作品有《梅花圖軸》、《牡丹圖軸》、《柳燕圖軸》、《簾外翠鳥圖册頁》（以上故宮博物院藏）和《荷花翠鳥圖軸》（浙江省博物館藏）等。如《窗外翠鳥圖》畫面全為竹簾所蓋，簾外一翠鳥展翅從空中滑掠而下，即欲投向那密密叢叢的花草之中，以纖細淡淡的竹簾為前景，畫出簾外之景，構圖新奇巧妙，詩意盎然，反映畫家觀察生活的細致，鋭敏及其獨創的精神。被贊以『構思的奇特，取材的新穎，運筆的不拘一格，在前代畫家的作品中都是未曾見過的。』（一二）從這裏我們也可看到任熊在花鳥畫中表現的潑辣姿意的世俗性繪畫特點，打破了傳統繪畫的僵化與保守局面。

任熊曾在一幅《桃花圖》上題云：『天上碧桃，迥殊凡卉，下筆時行神於丹崖、翠嶂、珠簾、壁墀之間，自得神理。予常識彈琴家彈欲斷弦，按令入木二語，以之於畫，不圖為淺笑輕顰工媚當世者也。』充分説明其認真的創作態度及其主張作畫時應有的豐富想像力，使物象成竹在胸，感之於內，發之於外。以撐握翠、嶂、珠、簾、壁墀間的客觀本質，使作品免為膚淺庸俗的筆墨游戲，從而形成自己特有的藝術風格。

（四）綜述

任熊的繪畫，初宗老蓮法，但三十歲後，不拘於老蓮，而是有自己的特點，如手法的多樣，形象的鮮明，人物性格的刻劃入微，環境氣氛的描寫等方面都有創新。在色彩上，他大膽的吸取了寺廟道觀壁畫上鮮濃、富裝飾性的石青、石緑、大紅、洋紅、朱砂等艷色，在濃黑的墨綫映襯下，取得了前所未有的效果。其繪畫，融合了民間藝術和文人畫的優良素質，大量吸取世俗性繪畫的特點，突破了當時繪畫界保守的陳規和纖弱的風格，逐漸形成『海派』繪畫的特點，那就是：（一）、發展了我國繪畫的優良傳統，經過不斷革新，創造出一代清新活潑、雅俗共賞的新局面。（二）、創造出富時代氣息、更體現出愛國主義精神風貌方面的作品。（三）、更加揉和我國民間書畫藝術的精華，作品更為人們欣賞與喜愛。（四）、推動了畫家的職業化和繪畫商品化的進程。

作為『上海畫派』創始人的任熊，他暫短的一生，創造出無數仁人志士的形象以及許多宏麗多姿的畫卷，故評者云，『假使任熊活到六、七十歲，藝術成就將遠不止此。』（一三）我們從其流傳下來的有限作品中，仍可展見其風貌。他為中國畫的革新，拓寬了傳統繪畫的題材範圍，增强了中國畫的表現方法，吸取了多方面的新鮮營養，擴大了人們的藝術視野。使繪畫藝術由士大夫文人的象牙之塔走向大衆，走向民間，走向世俗社會，並推動了後世對新型藝術創作的發展，近百年以來一直起着深遠的影響。故任熊的出世，任熊世俗性繪畫與創新，『可以説是舊時代的結束，同時也是一個新時代的開始。』（一四）在近代中國繪畫史上是一個重大的轉折，是一個很大的進步，將永遠閃耀着獨特的光輝。

三、任熊的四種畫傳對後世的影響

（一）任熊四種畫傳的版刻始末

（一）《列仙酒牌》

任熊繪畫於清咸豐三年（一八五三），是年九、十月間交蔡照初刻版，蔡於翌年（一八五四）的二月完工。版本狹長為立式，縱高十七點五厘米，横寬七點四厘米，全本畫像四十八幅，四十八頁，題簽、封裏、目次都是任熊自書，書法縱恣，具豪烈之氣。卷首有曹峋、任淇的序，卷末有蔡照初的跋，都是出自他們親寫的手筆，並鈐名章。最初拓製時為單片，見序言中謂：『甲寅（一八五四）二月格成，拓百十帙，乃招客醵飲，客至從者挾格與簽請以樂賓，如投壺禮，終席各軨一拱以出。』任湛序言具體説明是任熊在兒子滿月後舉辦的湯餅會宴請友人，以此列仙葉子（即酒牌）為贈，可見其精坳與珍貴，時還未落裝成册，現在已見不到了。

最早的拓印本為姚燮自賞的珍藏本，卷首封裏右下端鈐有『大梅山館藏』印記。每位仙人畫像框右均有姚燮親筆贊語，贊語簡短有致，針對各仙特點而題，每題下鈐各不相同的印章，其後將姚燮藏本所繫各贊，摹刻成版，照樣翻拓在各面右旁，稍後增加姚燮序，再後加丁文蔚序。最初拓本有『每册價銀一兩』的朱記。後又有倣本，也照原刻初拓本的封裏鈐以『第册銀洋一元』的朱記，已是魚目混珠了。戲劇漫畫家高馬得五十年代時，曾在蘇州舊書店購到《列仙酒牌》的初刻本，當是非常珍貴的。至清光緒十二年（一八八六）又有上海同文書局的石印本，則已失去原貌，民國四年（一九一五）間上海錦文堂書局又重印，更加粗製已不堪入目，到民國年間最後拓印本，已將書前序言盡行删去，連後面跋語也去掉，開本改大，分上下二册，還有一種狹小開本，均不復有原來的面貌。正因為《列酒仙牌》有這麽多的不同式樣版本，故得以流傳廣泛。目前，一百四十多年前的最初拓本，則已是鳳毛麟角不可多見了，一九九五年十月文物出版社據《列酒仙牌》原刊本，按原大影印，以滿足廣大讀者的需求，很受歡迎。

（二）《劍俠像傳》

任熊繪於咸豐六年（一八五六）。原名《三十三劍客圖》，是根據唐宋時人所作《劍俠傳》為丁文蔚（字豹卿，為任熊友人）繪製的，繪後仍請蔡照初刻板，卅三劍客圖扉頁為任熊自書，下題『藍叔子屬，任渭長畫，蔡容莊雕，時在咸豐丙辰三月』（即咸豐六年其中字為草書叔字，丁文蔚號藍叔）頁背俠名為任熊題寫，畫中俠名及編次皆寫刻在框內，為丁文蔚手筆，版本為長方立式，縱高十七點六厘米，横寬十一點二厘米，畫像三十三幅，《卅三劍客圖》原刻前有周閑詩一首：

『棘猴楮葉已茫然，刻畫今看蔡子賢。

當代戰功多第一，丹青何不勒凌煙。』

為任熊之精心力作，平生之佳構，由於繪刻精湛，印數極少，（初期拓本者因逐批用紙故拓印有高下），今有獲得者，大多為善本，嘆為稀世之絶品，畫中俠名與編次寫在框內，為丁文蔚手筆，全部贊詞如下：『趙處女一：處女如公之狙。虬髯客二：負心可嘬，非公世界。繩技三：繩何來，債無臺。車中女子四：許甚驚怕，不求仕罷。汝州僧五：五丸腦後，飛飛回不。京西老人六：風雷電、板一片。蘭陵老人七：君剥膚、尹割鬚。盧生八：術不得、七首劫。聶隱娘九：精精空空，宜淬鏡終。荆十三娘十：慕中立，藐諸葛。紅綫十一：床頭金合，懺除宿孽。王敬宏僕十二：琵琶綉囊，一團膨郎。昆侖磨勒十三：雀家臣，月下人。四明頭陀十四：道士不學，頭院無着。丁秀才十五：雪晚來，飲一杯。紉鍼女十六：懷桔奇，求珠宜。宣慈寺門子十七：缺。李龜壽十八：缺。

賈人妻十九：為夫婦俠，為子母酷。維揚河街上叟二十：不殺用之，令君妻歸。寺行者二十一：休打鐘，皮囊中。李勝二十二：殺亦不武，矧使知懼。張忠定二十三：此老不乖，諸君自崖。秀州刺客二十四：未可留，乃苗劉。張訓妻二十五：婢何罪，死無謂。潘扆二十六：自稱野客，依鄭匡國。洪州書生二十七：吾不能容，書生心胸。義俠二十八：殺君負心，為君報恩。青巾者二十九：公豪俊，我知命。淄川道士三十：髑髏盡痴，劍仙如斯。俠婦人三十一：黃金何勞，不如衲袍。解洵婦三十二：去何害，妒可怪。角巾道人三十三：足一醉，無罣礙。後又有同邑王齡重校刊版，是為王氏養和堂刊本。於清光緒五年（一八七五）時，廣東黃官應又重刻《劍俠像傳》三十三圖，但雕技拙劣與原刻相距甚遠，黃又請人增繪三十九人成《續劍俠傳》並謬稱為任熊之作。

民國年間又將任淇所題裏封，王齡序言及任熊題於葉背的俠名一概刪去，恢復原來《三十三劍客圖》格局，但究因刻板破損過甚，拓印時漫漶不堪，開本增大，分為二冊。一九三六年，上海中央書店以鋅版翻印廣東刻本，名《唐人劍俠傳》，則更非原貌了。又有據原刻本影印，人物縮小，傳文改為手寫行草書列於畫像之上，則原有格局破壞，完整與美觀已無法再現。

（三）《於越先賢傳贊》

前述二傳刊行後，便引起社會和文藝界人士的極大贊賞，同邑王齡愛慕異常，就邀請任熊為精繪《於越先賢傳贊》八十幅，時也在咸豐六年（一八五六），當作於《劍俠傳》之後，王齡親自寫傳贊與序文，據王齡序文載，任熊作畫『日或三四，或五六，除以為長夏消遣計，積二月得八十人。』因『渭長以事入城，余亦遂輟，懼佚也，交容莊蔡君梓之成本』。刊於咸豐七年（一八六七）其格局形式一如《劍俠傳》，立式框縱高十七點六厘米，橫寬十一點二厘米。此刻本已罕見，現流行的為清光緒三年（一八七七）由張牧九所重刻，前有任熊弟子沙家英序文。

（四）《高士傳》

此為任熊臨終前之主要作品，時在清咸豐七年（一八五七），僅繪上卷二十六人，缺被衣、顏子兩圖即去世，也由同邑王齡請蔡照初為鐫版，版後任熊已不及見。為立式框，縱高十七點六厘米，橫寬十一點二厘米。原板也已不可得，現流行的為清光緒三年（一八七七）由張牧九所重刻，前有任熊弟子沙家英序文。

上列《任熊畫傳四種》為任熊晚年力作，均由刻家蔡照初鐫版，後又經重刻，雖非原貌，但一刻再刻流傳之廣，影響之大可想而知。清光緒十二年（一八八六）上海同文書局和民國二十二年（一九三三）上海中西書局均以石版影印《任渭長先生畫傳四種》。五十年代以來，經汪子豆先生精選任熊畫傳四種內的五十餘幅輯成《任渭長木刻人物》一册，由上海人民美術出版社出版，後來黑龍江美術出版社和江西人民美術出版社均出版有《清任渭長白描人物》等，但都不是全部作品。一九八五時北京中國書店據清光緒十二年（一八八六）上海同文書局本影印《任渭長畫傳四種》，唯一九八六年四月由上海書畫出版社出版的『中國傳統綫描資料』中纔將任熊的《列仙酒牌》、《劍俠傳像》、《於越先賢像》、《高士傳》全部印製，面貌基本接近原版，惜無序、贊、跋等，但對畫界創作和研究的需要已起到很大的作用。故汪子豆先生謂其選輯的《任渭長木刻人物》『書一出版，即轟動畫壇，』一購而空，可見影響之大。

二、任熊的人物畫與世俗化

任熊畫傳四種，共繪主要人物一百八十七幅，如連陪襯人物則共有二百多個，全為白描，有的只繪人物，有的配以背景，每個人物各有鮮明生動的形象與個性，為不同凡響的精品之作。

仙界人物和歷史人物是任熊人物畫的主要組成部分。而這些正反映了當時市井平民謀求人生理想的世俗心態，也寄托畫家與民衆對當時嚴重的社會、政治及民族矛盾的關切，從另一個側面則表現了畫家『位卑未敢忘憂國』的心境。他之所以這樣感情充沛的、準確的表達這些人物的形象，是由於他在描繪這些人物的時候，自己深入其中，如親臨其境，與他們在思想感情上取得了和諧與統一。

在《列仙酒牌》四十八幅仙人中，有嫦娥、老子、張果老、韓湘子、鍾離權、藍采和、張天師等，都是在民間廣為流傳的仙人，男女具備。他針對當時清廷的腐敗，橫征暴斂，民不聊生的情況，借列仙的神通廣大，超凡脱俗，濟世救民，一吐胸中之塊壘。如嫦娥不安於凡間生活奔向月宫，她拱手轉體，作起步狀，有告别凡塵飛向月宫之勢，任熊題：『碧海青天夜夜心』。姚燮在框右題：『羿之弓，剛之斧，乘龍不能殺雌虎。』如老子見周衰西出函關隱去，老子形象古樸安詳，茂髯飄逸，鶴髮披肩，似在滔滔説教。任熊題：『玄玄道德五千言，不言藥，不言仙，不言白日升青天。』姚燮則題：『斷斷岳岳，儒門之橐，玄玄嚼嚼，道流之籥。』又如張果老，唐太宗征之不起，武后召之佯死。畫中之張果老，一付老而益壯、橫眉怒目之狀，鬚髮戟張，手挺藜杖，昂然有不可一世之神態，那剛勁有力斬釘截鐵般的衣褶，正與張果老的這種性格協合。任熊題『小子饒舌，吾杖不可以多得，』姚燮題：『果起末之難也，竟不齒於懵懵者。』這些神仙大多不滿封建社會，如廣成子隱居於崆峒山；梅福回避時政而出游；陶宏景辭官退居林下；張道陵、葛洪、葉法善、陳摶召而不拜；林逋結廬西湖之孤山，二十年足不入城，植梅而蓄鶴；任熊在林逋畫像的題詞云：『孤山之麓，妻梅而子鶴』，畫面上梅花盛放，鶴作回顧狀，故姚燮題贊云：『身逋名不逋，孤山不孤』，以説明林逋並不孤獨，這些作品都是任熊用以寄托自己的思想感情，借古寓志，别有用意的。

《劍俠像傳》首自『趙處女』，終於『角巾道士』共繪三十三幅，畫面不具人物名稱，而列於背頁，與《九歌圖》同，頁背俠名俱由任熊親自書寫，筆情縱姿，常以飛白出之，並逐幅署渭長名，可見任熊極為重視，此像傳每圖只繪一人，意態萬千，各不相類，人物衣褶，變化奇特，在任熊的畫傳中，堪稱第一。因清末政治窳敗，民衆極度不安，故任熊借劍俠之傳説，力圖其形，以劍俠之本事除暴安良，能於千百里外為民雪恨以鳴衆之不平，故為世人所津津樂道。繪畫的世俗化就是直接與廣大民衆的情感觀念、理想和願望息息相

關，為大衆所熟悉，所歡迎，任熊即以此托其志，籍泄憤慨。他所繪的趙處女，手持竹梢立，衣衫隨風飄拂，磊落灑脱，眉目間可見英氣，如有所思，欲有所為。如扶余國主，背面行，步伐穩健，氣勢磅礴，雖僅露側臉，然眉宇間已見威儀，服飾雄偉，令人肅然起敬。尤其是嘉興繩技，一眼就知為江湖義俠，其右手持繩的一端，繩子盤於地過半，左手遮額前，翹首瞭望，正欲將繩拋向空中的瞬間，人物集中左下角，立脚點極低，留着大量的空白，不着點墨，更顯空際之高闊渺茫，有莫測其俠義行止之高深玄妙的感覺，如此大膽離奇的構思，别致意境，洵為罕見。寫聶隱娘，體態俊美，有如深閨嬌秀，而頭裹頭巾，身披斗蓬，從端莊凝重的神態中更能顯示其劍膽琴心。如荊十三娘，其身偏倚，低頭而立，將斬下首級，藏諸袱中，不使顯露，更適應於境而俠義之氣迫人。任熊善於從人物故事中發掘秘奥，從不輕易襲取表面迹象，所謂藏而不露。如紅綫一圖，只描繪紅綫彈阮，神情專注，泰然自若之景，不寫其『夜漏三時，往返七百里』行俠片段，反見得本事更為神靈莫測。又如紉緘女子，身才婀娜，衣帶飄忽，周圍空白空曠，似有來去如風，莫識其端緒之感。其繪俠若隱若現，處於機智決策之時。畫頭陀僧則面貌威嚴，手執禪杖，作回顧狀，衣紋寬敞，流動繪法，使麻布質感表現無遺。如丁秀才，衣褶波動，笠有積雪，寫出朔

風襲骨，長途跋涉之狀，不假周圍環境，但憑隨身衣帽和衣紋抖動即知，最妙者，在鼻尖似冷涕一滴，有畫龍點睛、刻畫入神之奇。如虬鬚叟，雖衣衫襤褸，但看其表情即知慣於行義，是一位軒然一笑而致亂於死地的大俠。行者的衣衫更為襤褸而氣度昂揚不可一世。李勝則面目精靈，衣褶厚重，游俠之風躍然紙上。張乖崖則席地而坐，容光鑒人。洪洲書生和青巾者皆氣宇儼然。末幅巾角道士，面貌奇古，目光炯炯，有不可侵犯之慨。縱觀任熊所繪，無不英氣襲人，雖不籍利器，不染血腥，看似平凡，却越見其俠義之神妙不可一世。

《於越先賢傳》裏的人物，都是任熊平素景仰的鄉賢，對他們更有深刻的理解，並以不同的方式和手法來表現這些人物。如范蠡，他以民間熟知的扁舟泛五湖的情景，以表現他功成身退，遠離權勢的心境，在微笑的表情中，流露出輕鬆愉快、怡然自得之狀。如繪朱買臣，以朱扶着擔薪，頭微向上，對妻子不屑一顧之態，寫其不為妻所容與走自己路的心情。又如王充，突出其『好博覽而不守竟句』的特性，把他安排在書齋中，倚窗讀書，旁襯以一大堆書卷。在陸游的形象上，是以不同的服飾（戴笠帽）和動態，手持竹竿思考着緩步行走，來表現這和人民群衆結合的大衆詩人的風貌。如繪元學者韓性，坐於山脚樹下，有二求學者趨訪，情景自然樸實。又以特寫繪女將沈雲英，顔面英俊，兩目有神，一手執槍，一手撫劍穗，神情端莊自若。繪朱百年則與友作交談狀，簡潔了然。此傳畫像陪襯人物與背景較多，有的景物多於人物，也有以山川等配合，全傳繪圖八十幅，其中人物就有一百四十九人，形象各自生動，可謂繪聲繪色，洋洋大觀。

《高士傳》僅繪二十六圖，『缺被衣、顔子兩圖，而渭長遽（肺病）死』，此為任熊臨終前之作，《高士傳》共有上中下三卷，任熊上卷也未繪完就去世，故王齡在序言中嘆道：『中下卷遂廢，不能補世，亦無有補者。』

這部畫傳雖多寫隱逸之士，但也含有較濃的關切世事的世俗性因素，故在表現手法上也親切怡人，王齡謂任熊『惟其介立孤生，故於古今隱居巖穴之士，性情契於不言，下筆若皆有聲色，可以想像如或遇之矣』，確為如此。如繪弦高，他是鄭國商人，於途中見秦兵要攻鄭，即以十二頭牛嬌鄭伯之命犒秦師，且使人告鄭為備，秦師知其有備乃退，當鄭國要獎勵他時，竟從東夷而終身不返。任熊繪其雙手捧謝，作轉身待行之狀，正是為了表達這位真正愛國主義者的功不受禄的崇高品格。如畫隱士巢父時，以樹巢為襯，寫其自得之狀。或通過容貌與服飾來表達，如曾參衣着襤褸，而面目未改，以顯示其不受王公貴人之召請，却安於貧困的大氣凛然、傲然不屈之志。任熊以其多變的表現方式，給每個人物賦予不同的性格和特徵，給觀者以明確概括的印象。

三、畫傳對後世繪畫的影響與世俗化的發展

任熊畫傳四種，歷來被公認為『大俗大雅』之精作而被後世所楷模，一直影響着海派與中國畫的創新發展。

任熊繪畫之所以有這樣大的吸引力和影響力，主要原委是他植根於民間，熟悉民情，順應了『筆墨當隨時代』的發展需要。作為畫家，他一直生活在下層人民大衆裏，他同情民間疾苦，善於描繪民衆的喜怒哀樂。在繪畫創作中，一方面他繼承和發展了文人畫世俗化的傳統；一方面他以寫實的多種技法，豐富和發展了世俗化。這種世俗化，實際上推動了傳統繪畫藝術的發展，無論是題材形式、思想内容與表現方法，其對後世中國畫的影響都是深遠的。

綜述任熊暫短的一生，『不過是宇宙長河中一瞬，但這一瞬却留下了動人心絃的作品，迸射出微弱的却又是刺眼的生命的火花』。（一五）

四、任熊的詩詞及其他

我國書畫家中，由普通畫匠登堂入室而成為大家者並不多，這是因為一個書畫家不但要善於繪事，而且必須懂得詩詞文學，所謂詩詞書畫印諸藝無不精通，方可稱為大家。現代畫家齊白石可為是有此成就的大家，他就是一名田家子弟，從普通畫匠升華至繪畫大師的，其中的刻苦努力，克服種種困難，是可想而知了。近代大畫家任熊，也是走過這樣一條奮鬥的路子，纔由貧寒子弟從畫匠直至經過詩詞文學的熏陶，不斷學習提高，使自己在民間繪畫與文人畫的揉合下，獨立藝林自成一家而成為『海派』創始人的。

據《任處士傳》謂其：『善畫，冠大江南北，亦能吟詩，填詞，諸子百家咸皆涉獵』。又謂：『能自製琴曲，春秋佳日，以之娛悅』。可知任熊的詩詞根底還是很深的，《任處士傳》中所謂其『詩寫性靈，詞有逸趣』則更不是一般的水平了。

任熊早期的詩詞，目前能見到的，只有從流傳下來的題畫中略見一、二：

《採藥圖》的題畫詩：『不學梅都尉，不羡王子嶠。

不參白玉京，不事青鸞駕。

拾得五彩芝，擣就玄霜妙。

何不賣人間，人間苦無價。』

自題『丁未夏五月為寶泉三兄繪』，當在清道光二十七年(一八四七)，時任熊二十五歲。

《烟柳蘭舟》扇畫題詞：

『蘭舟好，最好晚涼天，猶整冰盤期夜月。綏鋪歌席傍秋煙，岸柳帶鳴蟬。』

自題『調寄江南好，道光己酉夏六月』，當為清道光二十九年(一八四九)，時任熊正客於周閑之范湖草堂。

從《劉穗九藏任熊長人物花鳥册》中，又得任熊題畫詩詞幾首，今録加下：

其三十歲時壬子初夏(即一八五二年)題梅鳥圖為《南歌子》詞一闋：

『人是花間別，酒從花外醒，時時不解別時情，殆有一痕愁思繞疏林。風篷吹程遠，篷窗滿月明。狂生詞夢合飄零，誰分雙雙翠羽自生成。』

下題『壬子初夏，客吳趨作并書舊句為香圃尊兄屬正』

《題山水畫詩》(未寫時間)：『山前一水深復深，山腰衆綠長交陰。

漁翁沽酒醉不出，總有仙源無意尋。』

題『任熊再句』。

《題人物畫詩》（時間未寫）：颯爽英姿莫比論，風開一幟過連雲。

為曹為李吾能識，願乞長纓拜後軍。』

下題『背臨陳章侯本，再繫一詩。』

係背臨陳老蓮明崇禎時刻本《北西廂秘本·解圍》，唯下身近似，余均創作為一手握旗，一手托天（陳老蓮畫為一手握旗一手前指，力量不及任畫，且身挂彎弓等也繁）

近人李伯元在《南亭四話》中，曾寫有《任渭長詩》一章云：

『任渭長、熊，浙之蕭山航塢人，幼稟穎異，既冠，以善畫聞，尺縑寸楮，皆兼金值也。天懷超曠，每賦小詩，輒涉筆成趣，顧詩為畫掩，人鮮知者，身後遺稿散失，鱗爪東西，吾見亦罕矣，猶記其記夢詩七古一章曰：

「珠簾淬滌捲香塵，艷煞桃花思煞夢中人。

人自不知夢，蝶飛飛入朱樓青。

春花秋月媚新意，綠綺紅牙遇暮雲。

裊裊纖歌麗如織，舞罷還依鏡臺側。

揭簾絲雨濕紅橋，海棠羞怯無顏色。

輕羅曳袖鳴玉鈎，回身易座彈箜篌。

餘音并入銀瓶冷，滴破秋心無限愁。

一聲將息偏憐早，行行促起雙春鳥。

殷勤欲馴苦沾襟，芳心暗托蘅蕪草。

徘徊此別幾時逢，惺忪却恨屏山曉。

曙色冥冥心緒縈，小窗倚枕愁獨醒。

一粟缸花猶照眼，浪浪泪雨不堪聽。」』

洋洋二十四句，直寫得情意深切，惜其詩詞多已散失。

一八五四年（清咸豐四年春正月）任熊三十二歲，繪《富春山》圖，（現藏天津藝術博物館）並在畫上題詩云：

乍聞人說富春山，

對峙奇峰一水間；

更展溪藤傳寫得，
自然粉本接荆關。

是說山水畫當以法自然為佳。

一八五六年（咸豐六年，任卅四歲，是年丙辰重九日）在丁蘭叔大碧山莊繪《黃菊酒蟹圖》並題詩云：

『草堂無菊影闌珊，把酒持蟹興未歡。
虧得東門曹葛老，一枝花許借人看。』

下題：『咸豐丙辰九日在丁氏大碧山莊，有酒而無菊花，曹葛菴旁未許借一支以成此日之興，寫為功尹三弟，呵呵，謂長並記。』

咸豐七年（一八五七）閏五月任熊有疾，仲夏時扶病作《秋林共話圖》，並題詩云：

竹膏繩床白晝眠，
嵯峨瘦骨更難便；
起尋楮墨閑塗抹，
禿樹寒山想老蓮。

從詩中他隱約的告訴人們，自己恐將不起，故有『禿樹寒山想老蓮』的悲愴語。此詩平淡中見真情，借景抒情，可謂詩情畫意，情意交融。

詩作難覓，詞也難得，是否如《任處士傳》所云：『然嘗語人曰「浙東有姚燮，浙西有周閑，文章盡於二人矣，吾復何為乎？」故自題畫之外，不多作。』這裏說的『不多作』並不是沒有，而是現在並無發現。也只有從他咸豐六年（一八五六）的《自畫像》的自題詞中得見其風采。詞雖稱『詩餘』，但其要求，却比詩更為嚴格，更為深奥，按清康熙時萬樹編的《詞律》來說，就收調六百六十個，體（即例詞）一千一百八十闋；後來王奕清等編的《欽定詞譜》已擴收調八百二十六個，體二千三百另六闋。古人以五十八字以下者為小令，五十九至九十字以下者為中令，九十一字以上者稱為長調。今人王力則將六十二字以下者稱為小令，六十三字以上者統稱為慢詞，主要是便於分類。又每闋詞作從分段上，又有單調、雙調、三疊、四疊之分。全闋分三段者稱為三疊，分四段者稱為四疊。任熊所做詞調為《十二時》，也稱《十二時慢》，為慢詞長調，作這種詞非有相當的詩詞文學根底不可。就是這個慢詞長調《十二時》還有四體之說，即雙調有兩體，分九十一字與一百二十五字兩種；三疊有兩體，分一百三十字與一百四十一字兩種。此詞為宋體鼓吹四曲之一，《詞譜》卷三十七，曾載宋著名詞曲作家柳永的《十二時》全闋分三段，一百三十字，前段十一句五仄韻，總段八句三仄韻，後段八句四仄韻，今將柳宋詞列前，任熊詞列後以作比較與評説。

柳永作《十二時》詞：

晚晴初，(句)淡煙籠月，(句)風透蟾光如洗，(韻)覺翠帳涼生秋思，(韻)漸入微寒天氣，(韻)敗葉敲窗，(句)西風滿院，(句)睡不成還起，(韻)更漏咽滴破憂心，(句)萬感并生，(句)都在離人愁耳。(韻)(第一段)

天怎知，(句)當時一句，(句)做得十分縈繫，(韻)夜永有時，(句)分明枕上，(句)覷着孜孜地，(韻)燭暗時酒醒，(句)元來又是夢裏。(韻)(第二段)

睡覺來，(句)披衣獨坐，(句)萬種無憀情意，(韻)怎得伊來，(句)重諧雲雨，(韻)再整餘香被，(韻)祝告天發願，(句)從今永無拋棄。(韻)(第三段)

任熊作《十二時》詞：

莽乾坤(句)眼前何物？(句)翻笑側身長繫，(韻)覺甚事紛紛攀倚，(韻)此則談何容易！(韻)試説豪華，(句)金、張、許、史、(句)到如今能幾？(韻)還可惜鏡換青娥，(句)塵掩白頭，(句)一樣奔馳無計。(韻)(第一段)

更誤人，(句)可憐青史，(句)一字何以輕記！(韻)公子憑虛(句)先生希有，(句)總難為知己，(韻)且放歌起舞，(句)當途慢憎頹氣。(韻)(第二段)

算少年，(句)原非是想，(句)聊寫古來陳例，(韻)誰是愚蒙？(句)誰為賢哲？(韻)我也全無意。(韻)但恍然一瞬，(句)茫茫淼無涯矣！(韻)(第三段)

詞的落款寫：『右調《十二時》渭長任熊倚聲』。

柳永的詞以寫風花雪月見長，這裏先不作細説。却説任熊此詞，全詞雄健豪放，借西漢宣帝時擁有極大權勢的金(日磾)張(安世)、許(伯)、史(宣)四人的典故，説明顯赫一時的人物如今都成虛幻，(《漢書、蓋寬饒傳》：『上無許史之屬，下無金張之托』，連歷史也不再輕記一字。『誰是愚，誰是賢哲，我也全無意，』可見畫家對世態有所憤懣而作，詞調不俗，發人深思，如與其自畫像參照着讀，更能透出其憤世嫉俗的情緒。

任熊尚有一逸事，即為周雲將繪折枝桃花與李香君小像，被後人贊以『千秋兩柄桃花扇』。事見冒鶴亭先生著的《小三吾亭詞話》卷一。

全文如下：

『任渭長嘗為余舅周雲將先生（紹寅）畫扇，一面寫折枝桃花，一面寫李香君小像。譚仲修為題《虞美人》詞云：「東風冷向花枝笑，轉眼花枝老。淡煙依舊送南朝，何事美人顏色念奴嬌。天涯一樣文章賤，公子空相見；酒杯傾與隔江山，山下無多楊柳不堪攀。」文道希和云：「南朝一段傷心事，楚怨思公子。幽蘭泣露悄無言，不是桃根桃葉鎮相憐。若為留得花枝在，莫問滄桑改。鴛鴦鸂鶒一雙雙，欲採芙蓉憔悴隔秋江。」』又云：『舅亡，扇存其姬人沈栗娘所。栗娘者，吳中名妓，色藝冠一時。歸余舅二年而寡，又五年而死。余為作傳，一時名流咸有題咏。如俞蔭甫云：「千秋兩柄桃花扇，前是香君後栗娘。」易實甫云：「少年守真同姓馬，中年絡秀竟歸周，生無艷福鷗波館，死有香名燕子樓。」皆傳句也。』

注：關於清初之桃花扇事，見鄭逸梅氏所著《藝林散葉》三四一八條，謂：『李香君之桃花扇，藏侯壯悔（即侯朝宗）後人家，曾持至北京，民初，陶伯銘猶於市上見之。扇為折疊式，當時楊龍友就血痕點畫數筆，成折枝桃花。扇正背，清初人題咏無隙處。且以紫檀為盒，內襯白綾，綾上亦有題識，伯銘欲購之，而索值五千金，難以應，其人持去，再訪之，已無蹤跡矣。是扇張伯駒曾目覩之。』

五、任熊的書法與篆刻

任熊生平流傳的畫作已經很少，其書法作品則更為罕見了，但是我們從其幾種畫卷的題跋中還是可以窺見一些面貌，特別是從其《自畫像》的自題詞中清楚的看到他的挺拔雄健的書法作品，此項行書作品，氣貫始終，從字體上看，説明其曾學過陳洪綬的書法，但是已經跳出此圈，還能看出有歐體的結構，且氣勢宏魄，應該説曾經與繪畫同時有較長時間的錘煉。已有相當的水平，也可謂自成一體之佳作，故後人評其書法為『健勁』是不虛的。

任熊於書法，四體俱精，從故宫博物院藏畫《十萬圖》册與天津人民美術出版社藏畫《元女授經圖》中，可見其篆字題款，從上海朵雲軒藏畫《麻姑獻壽》圖中可見隸書題簽，其篆字為小篆，隸書學金農又不相同。從現藏故宫博物院的《大梅山館詩意圖册》中，可見其正書之題詩句。每圖一句詩，甚工整雅致。從蘇州博物館藏之《孫道絢詞意圖》題字與南京博物院藏之《花卉圖》册（二十副，客甬東時作）的題詞均為草書，有為酒後燈下之作，灑脱可觀。他創作的《列仙酒牌》，包括題簽、封裏、目次則全是他自己一人手筆，以行楷為之，書法縱姿，具豪烈之氣。故清末吴石潛先生在摹刻的《明清名家楹聯書法集粹》中，已將任熊的書法楹聯一副列入其中，聯文為：『道中義士青巾客；俠女行慈紅綫娘。』行書流暢極有功力。

此外任熊於篆刻方面，亦具天賦，後人謂其『偶亦篆刻，清新可喜』。但目前存世的任熊刻印只有一方，即為蕭山丁文蔚所刻『豹卿』一印，是僅存的一方端石印章，『豹卿』為丁文蔚的字號，此印得以流傳下來，實為難得。邊款云：『渭長擬宋人朱文，上虞徐采縠觀。此『豹卿』兩字為扁形篆字，甚俊美，故印人傳中也有任熊之名。

（此印章見王伯敏氏所著《古肖形印臆釋》）

六、近現代學者、專家評任熊

任熊雖然在世甚短，但其别具特色的繪畫藝術，力矯晚清以來文弱嬌靡之弊，一直被人贊譽。今簡録當時與後來學者、專家對他的一些評論，以供參考。

近代學者、畫家，任熊至友周閑在《任處士傳》中評曰：『任熊畫，初宗陳洪綬，後出入宋元諸大家兼躡雨唐，變化神妙，不名一法，古人所能無不能，亦無不工。其佈局運筆，慘淡經營，不期與古人合，而間與古人所不能到。設色精彩，復能勝與古人，當其一稿甫脱，零嫌片楮，識與不識，悉皆珍若珙璧。且有竊其殘墨賸本奉為規模者，猗與盛哉，畫之聖矣。』

近代學者、畫學評論家張鳴珂在《寒松閣談藝瑣録》中評曰：『任渭長，蕭山人。工畫人物，衣折如銀鈎鐵畫，直入陳章侯之室，而獨開生面也。一時走幣相乞，得其寸縑尺幅，無不珍若球璧。予在戴禮庭處，見其所作《四紅圖》亦古雅，亦嫵媚，嘆觀止矣。』

近代學者、書畫評論家楊逸在《海上墨林》中評曰：『畫宗陳老蓮，人物、花卉、山水結構奇古，畫神仙，道佛，别具匠心。』

近代學者書法家、鑒賞家李鴻裔在任熊《詩意圖》後跋中評曰：『國朝山水名家之能追蹤宋元者，代不乏人。獨人物一席，自華秋岳後能品寥寥。道咸之間，渭長崛起於浙東，才思橫溢，淹有衆長。雖奉陳章侯為本師，亦橫覽崔青蚓、丁南羽、吴文中諸家之勝，其作士女，古麗絶倫，即服物制度亦靡不從書卷中出，若鄭千里輩，落筆輒有匠氣，不是重也。』

注：青蚓（明崔子忠）

南羽（明丁雲鵬）

文忠（明吴彬）

千里（明鄭重）

李鴻裔（一八三一——一八八五）字眉生，號蘇鄰，四川中江人，精書法，江蘇按察使。

近代學者、鑒賞家徐康在《前塵夢影録》中云：『渭翁畫本最多，顧艮庵世丈，藏有六大册。皆昔為姚梅伯孝廉所繪者，題詞皆梅伯所著。驚心動魄，得未曾有。艮翁在寧紹觀察時，值梅伯久故。其家索價三百金出售，竟如數與之。余在怡園展閲二次，其奇絶處真不可思議，有觀止之嘆。』這裏把姚燮當年請任熊所畫如何流落他人之手，叙述甚

詳。對任熊之畫有嘆為觀止之感。（現此畫已為北京故宮博物院所藏）

近代學者、評論家周星譽在《鷗堂日記》中云：『渭長工繪事，花卉、山水、美人靡不工者，年纔三十許，所詣已高絶，今之傳人也。』

近代學者、甲骨文研究專家王懿榮在《致繆荃孫書札》中云：『見浙刻《於越先賢象傳贊》，任熊畫像，精誼入古，甚覺可愛。』

近代學者、書法家曹岣在《列仙酒牌·序》中云：『渭長深畫理，自吴道子、陸探微至十洲、老遲之法，參考講習，故行止坐卧，樹石器具，飛走之屬，遠越鄙俚，悉有法度可觀。』

近代學者李慈銘在《越縵堂日記鈔》中云：『蕭山畫士任渭長熊，畫法直逼陳老蓮，得所畫者絶少。其畫越中八十賢人像及列仙酒牌，古艷横逸，衣冠器物皆有證據，鬚髮縷縷可指，直奇筆也。』

近代著名學者張宗祥在《畫人逸話》中云：『三任以渭長為第一，伯年次之，阜長殿軍，此公論也。渭長不壽，早年極寒苦，姚梅伯見其畫以為可造。延之家中，出藏畫，使臨摹，遂成妙筆。梅伯又時時為之題句，故渭長後録題字，往往仿梅伯。』又云：『渭長宗老蓮，衣褶鈎勒，近世無對。』

現代學者、美術鑒賞評論家鄭振鐸在《中國古代繪畫概述》中評曰：『任熊的人物畫範圍極廣，一洗改、費派的閨閣氣而變為雄健，好寫劍客烈士，仙佛高士，衣褶如銀鈎鐵畫，古拙之態可掬，是法陳洪綬的畫法，而別開生面的。』

現代學者、畫家、美術教育家、評論家黄賓虹在《東方雜志》美術專號上《近數十年畫者評》中云：『蕭山任氏，以渭長（熊）為傑出。人物衣褶如鐵畫銀鈎，直入陳章侯之室，所作士女，亦古雅，亦嫵媚，一時走幣相乞者，得其寸縑尺幅，莫不珍如球璧。』

現代學者、評論家秦仲文在《中國繪畫學史》中云：『任熊字渭長，浙江蕭山人。畫人物皆宗陳老蓮，任藝品較高，有畫傳四種刻版傳世。』

現代學者、評論家劉思訓在《中國美術發達史》中云：『任熊，字渭長，蕭山人。善畫人物，衣褶如銀鈎鐵畫，深得陳章侯的三昧，而能獨開生面。』

現代學者、畫家、美術史論家俞劍華在《從江蘇歷代繪畫展覽會談明清的繪畫》中評曰：『任熊與任薰，他們繼承了同鄉陳老蓮的傳統，以鮮艷古硬，有裝飾圖案的作風，取境佈局都有超過前人的規範，獨具一格的精神。在用色方面，也顯得另具匠心，他們長期在上海賣畫，從他們的不受羈勒的性格上，多少也可看出有些反帝反封建的情緒。』

現代學者、畫家、美術教育家潘天壽在《中國繪畫史》中評曰：『工花鳥、山水、尤擅長人物，堪與陳老蓮并駕齊驅。論者謂山陰諸任，以渭長為白眉，澤古深厚，脱去凡近，非襲貌遺神，虎虎作態者同日語也。』

現代畫家、美術史論家傅抱石在《中國繪畫變遷史綱》中云：『任熊字渭長，山陰人。工人物花鳥，筆法奇拙，難能可貴。』

當代學者、畫家、美術評論家王伯敏在其主編的《中國美術通史》中評曰：『清末畫壇趨凋零，僑居在上海的任熊、任薰、任頤崛起，稍振頹風，他們受徐渭、陳淳、陳洪綬和揚州八怪的藝術影響，結合自己豐富的藝術實踐生活，創造出潑辣、豪放、活潑、新鮮的筆調，人物、山水、花鳥、走獸無所不能，内容豐富多彩，開創了新穎的畫風，人稱上海畫派。』

當代畫家、評論家邵洛羊在其主編的《十大畫家》中評道：『任熊的畫，可上溯到唐人，運筆鐵劃銀鈎，重視骨力，人物畫得傲岸，亦擅山水和花鳥畫，氣格醇厚，結構精嚴，可惜天不永年，三十四歲就患病去世，假使任熊能活到六、七十歲，藝術成就將遠不止此，可能在他的手裏就會出現「海派」藝術的新風格。』

當代畫家、畫學評論家張安治在《任熊和他的自畫像》中評道：『任熊短暫的一生，正如他自畫題詞的結句所説，不過是宇宙長河中的一瞬，但這一瞬却留下了動人的心絃的作品，迸射出微弱的却又是刺眼的生命的火花。』

當代畫家董希文在與學生談論陳老蓮和任渭長的作品時謂：『陳老蓮的人物畫有他自己的面貌，可以説在當時開一代畫風，但他追求的多是古樸，而任渭長就有更多的發揮和創造，他畫的人物形象以及綫條的結構和運用更接近於漫畫手法。』（見詹同《我畫漫畫五十年》）

當代學者謝國楨於一九五六年冬，曾在寧波鼓樓前一故家見任熊繪畫姚燮配詩的册頁，内有繪『緯絡吟』，繪一張五色燦爛的地毯上，坐着一美麗名姝在那裏紡紗，好像有秋聲自遠方來，真是美妙極了。（見謝國楨《江浙訪書記》二〇〇四年一月上海書店出版社出版）

當代學者、鑒賞評論家張珩在《木雁齋書畫鑒賞筆記》中云：『任熊湘夫人軸……極為古艷，小角夾葉，樹亦作風勢，樹葉殷紅，秋江景物也，此幅渭長畫中傑作，惜已流出海外矣。』

當代學者、書畫鑒賞評論家徐邦達在《中國繪畫史圖録》中云：『任熊，字渭長，浙江蕭山人，居上海賣畫。工人物、山水、花鳥，學陳洪綬而有所變化。畫姚大梅所作詩意，内容豐富，題材幾乎無所不包。畫法淵源陳洪綬，但稍變為粗簡放縱，形成晚清人物畫的特殊風格。』

當代學者、書畫鑒賞評論家楊仁愷在《中國書畫》中云：『任熊……工人物，山水、花卉，以人物著稱，畫法宗陳洪綬，綫條如銀勾鐵畫，風格清新活潑。』

當代學者、書畫家、書畫鑒賞評論家楊新在《中國傳統綫描人物畫》中評云：『陳洪綬之後的清代人物畫綫描，總的趨向是愈來愈纖弱，尤其是乾隆、嘉、道間，綫條與造型的感覺相一致，纖細柔媚，呈現出病態，直到清末三任出現，人物畫纔重新振作起來。任熊繼承了陳洪綬的筆法特點，綫條奇異而有力量，其《麻姑獻壽圖》綫條剛勁如屈鐵，甚是壯偉……三任的人物畫，可以説是舊時代的結束，同時也是一個新時代的開始。』

當代學者、美術評論家林木在《洋洋大觀的清代人物畫》中評道：『尤其是任熊與任薰的作品，畫家大膽地吸收了寺廟道觀壁畫中的那些色彩濃重，裝飾極强的石青、石緑、

土紅、洋紅、朱砂等色彩，在濃黑的墨綫映襯下，竟前所未有地閃爍着寶石一般的耀眼的效果，傳統金碧山水的效果和重彩人物的珠聯璧合，加上老蓮式的變化人物造型和强勁用筆，使海派在中國畫史上閃耀着獨特的光彩。』

當代美術評論家劉玉山在《中國古代花鳥畫百圖》中云：『任熊……善山水、人物、花卉、翎毛、蟲魚、走獸。畫得宋人神趣，筆力雄厚，氣韻静穆，且富裝飾風味。為一代大家，堪與陳洪綬并駕。』

當代畫學評論家郎紹君在《中國書畫鑒賞辭典》中云：『任熊精於人物、山水、花鳥。其造型法明末清初名畫家陳洪綬。所畫列仙酒牌、劍俠傳等，由蔡照初木刻印行與世，稱絶一時。』

當代畫學評論家徐建融在《中國美術史標準教材》中云：『傳世任熊的版畫作品共有四部，即《列仙酒牌》、《於越先賢傳》、《劍俠傳》、《高士傳》，均由蔡照初鎸刻。作風高古，大俗大雅，被公認為是中國版畫史上的後起之秀。』

當代畫學評論家周積寅、馬鴻增在《魯迅與中國畫遺産》中評云：『任渭長就是任熊，他生活在半封建半殖民地的畸形發展的城市——上海，作品多具有憂國憂民的色彩，

風格上繼承了明末畫家陳老蓮的畫風，又受到「揚州八怪」的影響，創造出潑辣、豪放、鮮明的格調，獨樹一幟，打破了當時一味摹古的惡習。魯迅曾買過根據地的畫稿刻印的版畫《於越先賢傳》、《高士傳》等，作者通過描繪除强扶弱的劍仙俠客和「高士」來寄托對現實的不滿。」

當代學者、書畫評論家、『任畫』研究專家龔産興在《中國大百科全書·美術卷》中評曰：『任熊的繪畫，人物、花卉、山水無所不能，工筆、寫意兼長，尤以人物畫著稱，其畫格、畫法主要學習陳洪綬，並加以發展，筆法清新活潑，氣味静穆，富有裝飾趣味，深為當時人們所喜愛珍賞。其代表作品有《自畫像》、《二湘圖》、《盲歌圖》，及木刻畫稿《列仙酒牌》、《劍俠傳》、《於越先賢傳》、《高士傳》等，其山水畫《范湖草堂圖》、《十萬圖》等，為晚年山水畫的代表作。任熊兼具傳統畫及民間繪畫之長，富有創造性，是上海畫派的先驅者之一。』

當代美國任熊研究專家林似竹在《析任熊姚燮詩意圖》中云：『任熊姚燮詩意圖一百二十頁巨册，在題材與風格上突破古人。諸如表現牧羊、文人製茶以批判性的表現戰争痛苦，婦女地位等題材，非但為以往中國畫中所未見，而且對隨即興起的海上畫派中的類似題材有首創之功。』

當代臺灣學者羅青在《海上畫家在筆法設色及題材上新發展》中云：『以全能畫家而言，海上前期祇有任熊一人。』『大梅山人詩意圖一百二十頁。此册可謂十九世紀繪畫廣度及創新的程度上，都是任伯年等後來者所無法企及的。』在『為任熊翻案』一文中謂：『若把任熊與任頤二人作品相互比較，我們便可發現，無論是在構圖變化與意境創造上，任伯年都僅得任渭長的十之五六而已。』

當代著名畫家、畫學理論家、鑒賞家范曾在《畫苑瓊林》中云：『任熊和任薰他們在人物和花鳥畫上吸取了明末他們同鄉的大畫家陳老蓮的優點，而且有所前進，造型上不役于物象，富有裝飾性的趣味，綫條的排列和組合也別具匠心。任渭長的《列仙酒牌》、《于越先賢傳》、《劍俠傳》是傳世的白描傑作，直到今天，仍為中國高等美術院校作為學習傳統技法的範本。』

當代著名學者、藝術評論家路工在《晚清傑出的人物畫家任熊》一文中評：『《列仙酒牌》的藝術成就，超越了改七薌的《紅樓夢圖咏》與王小某、費曉樓的人物畫，給晚清人物畫壇開拓了新的境界。』評『《卅三劍客圖》不僅在思想上比《列仙酒牌》前進了一步，而且在藝術上取得了更高的成就，可以說是作者成熟時期的珍品，也是晚清繪畫、板畫藝術中的一部最優秀的代表作。』他總結云：『任熊的繪畫作品傳世很少，但是這四部板畫的流傳，為我們提供了寶貴的資料，是研究任熊的思想和藝術的重要依據，他同情貧苦人民，不歌頌官僚和鎮壓人民革命的「功臣」，表現了藝術家應有的正義感和高尚品德，在藝術上他繼承了陳老蓮的傳統，勇於推陳出新，具有濃厚的時代生活氣息，是封建社會末期、舊民主主義革命時代的一位傑出的人物畫家。』（見路工著《訪書見聞錄》，上海古籍出版社一九八五年三月版）

《中國美術史》主編王朝聞在清代卷云：『任熊在一張《桃花圖》上題：「天上碧桃，迥殊凡卉，下筆時行神於丹崖、翠嶂、珠簾壁墀之間，自得神理。予常識彈琴家欲斷絃按令入木二語，以之於畫；不圖為淺笑輕顰工媚當世者也。』跋文說出任熊的創作態度，他主張作畫時的想像力，使物象成竹在胸感之於內，發之於外。掌握了翠嶂、珠簾壁墀之間的客觀現象的本質，方能使作品不成為膚淺庸俗的筆墨游戲，形成自己的藝術風格。』

以上學者、專家有關任熊的評論極為客觀公允，又極為認真嚴謹，均可為後來學者的參考和借鑒。

七、結束語

任熊，作為畫家，他一直生活在基層的人民大衆裏，故其一生繪畫中，始終同情勞動人民，在他畫過的諸多這方面的作品中，可以清楚的看到其思想進步的一方面。

客觀上看，那時的大清帝國已日趨没落，再也不能閉關自守了。而外國帝國主義者的不斷入侵，又不斷激發起人們的愛國熱情。任熊正是生活在這內憂外患的水深火熱之中，經過世面的任熊，不時從詩朋畫友的交往中擴大了知識面，他們時而結社寫作，時而登高吟唱。並從我國淵源流長的文化遺產和民間藝術中汲取了積極的、新鮮的養料。此時的他，亦儒、亦道、亦禪，無所不學，這種多元化的思想，驅使其創作出大量的神道仙佛、劍俠、義士、隱者、高人，當然在其短短的一生中，主要是創繪出無數的志士仁人，這些英雄人物，以及由此展現的許多宏麗多姿的畫卷，表達了他的愛國之情，應該說是主旋律，這又是其另一個方面。

任熊的藝術世界是多方面的，書、詩、畫、印無所不能，又都有自己的特色。其繪畫雖宗法陳老蓮，但三十歲後，已不拘於老蓮，而是有自己的特點，如手法的多樣，形象的鮮明，性格的刻畫入微，環境氣氛的描寫，色彩的明艷多變等，都有自己的成就。他勇於突破陳規，勇於創新，從而逐漸形成自己的風格特點，終於自成一家，成為影響着近現代畫壇的『上海畫派』的創始人。

具體地說，他的人物畫，着重刻畫人物的動態、性格、衣紋剛勁，用筆有力。他的山水畫，着重於開闊的意境和精微的、絢麗的色彩巧妙配合。他的花鳥畫，着重於情調清新，題材廣泛，使勾勒與没骨寫意互用，融合民間藝術和文人畫的優良素質。總之，任熊的繪畫藝術，無論在題材内容和技法風格上都有所創造，突破了當時繪畫界保守的傾向和纖弱的風格，這對近現代畫風和傳統國畫的發展都產生了巨大的影響，還將對今後產生很大的作用。

逝矣，任熊。他既是一位傑出的人民畫家，又是一位永遠值得人們懷念的畫家。

註釋：

（一）、黄葦《上海開埠初期對外貿易研究》，一九六一年上海人民出版社出版，數字均未含鴉片貿易，『兩』為當時上海銀兩，一兩等於七先令，也等於零點三五鎊。

（二）、均指『海派』的前期畫家與以後的主要畫家：

『三熊』即朱熊（一八〇一——一八六四）；張熊（一八〇三——一八八六）；任熊（一八二三——一八五七）

『四任』即任熊；任薰（一八三五——一八九三）；任頤（一八四〇——一八九六）；任預（一八五四——一九〇

一）

（三）、俞劍華《中國美術家人名辭典》上海人民美術出版社一九八一年十二月，一作『一八二三——一八五七』。改版《辭海》上海辭書出版社一九七九年版，一作『一八二二——一八五七』，一作『一八二〇——一八五六』

張安治《任熊和他的自畫像》，作『一八二〇——一八五八』

林樹中《近代上海畫會、海派與畫家》，作『一八二〇——一八五七』

王季銓、孔達《明清畫家印鑒》，作『一八二〇——一八五七』

陳師曾《中國繪畫史》，稱：『光緒時任熊、任薰兄弟老蓮派中別子也』

魯力《扇面書畫》稱：『同治，光緒時期的海上畫家任熊』

（四）周閑《范湖草堂遺稿》，卷一

（五）許志浩《中國美術社團漫録》上海書面出版社一九九年九月

（六）王伯敏《中國美術通史》山東教育出版社一九八八年五月

（七）黄燮清《倚晴樓詩餘》，卷四：『清平樂·題姚梅伯梅花、任渭長美人合作』清同治六年（一八六七）刻本

（八）商務印書館於民國八年（一九一九）有影印本

（九）沙家英《高士傳·序》

（十）有的編著稱『丁蘭叔參軍三十六歲小影』，實誤，丁蘭叔即丁文蔚，生於一八二七年，卒於一八九〇年，任熊作畫時為一八五六年，丁虛歲三十歲，有畫像上寫年齡可證。

（十一）王伯敏《中國美術通史》山東教育出版社一九八〇年五月

（十二）劉玉山《中國古代花鳥畫百圖》人民美術出版社一九八七年

（十三）邵洛羊《十大畫家》上海古籍出版社一九八九年八月

（十四）楊新《中國傳統綫描人物畫》紫禁城出版社一九九四年四月

（十五）張安治《任熊和他的（自畫像）》《故宫博物院院刊》一九七九年二期

附錄一：任熊年譜

一八二三年　癸未　清道光三年　任熊一歲

是年六月十二日，任熊生於浙江蕭山，為任氏第二十二世。父任椿為民間畫師。

是年：

胡公壽生。

周閑三歲。

姚燮十八歲。

張熊二十歲。

朱熊二十歲。

一八二四年　甲申　道光四年　二歲

是年虛谷（即朱懷仁）生。

一八二五年　乙酉　道光五年　三歲

是年朱偁（朱熊弟）生。

一八二六——一八三七年　道光六年至十七年　四歲至十五歲

『自幼喜塗抹，從張雅堂夫子讀，偶檢其書包下皆畫稿耳。』

從村塾師學畫。

其間：

一八二九年　道光九年（己丑）　趙之謙生。

一八三一年　道光十一年（辛卯）　沙馥生。

一八三二年　道光十二年（壬辰）　蒲華生。

一八三三年　道光十三年（癸巳）　錢慧安生。

一八三五年　道光十五年（乙未）　任薰生（任熊弟）

顧澐生。

沙英生。（沙馥弟，後來為任熊弟子）

一八三八年　戊戌　道光十八年　十六歲

湖廣總督林則徐奏陳嚴禁鴉片並被任為欽差大臣，節制廣東水師，前往廣州查禁鴉片。

任熊幼年喪父，家境清貧，弟妹年幼，時即以繪畫、賣畫維持生計，以承擔家庭生活重擔。

一八三九年　己亥　道光十九年　十七歲

胡錫珪生

林則徐令外國煙販限期交出鴉片並在虎門海灘當衆銷毀。

一八四〇年　庚子　道光二十年　十八歲

任伯年生。

鴉片戰爭爆發。英國侵略軍陷舟山侵寧波。

一八四一年　辛丑　道光二十一年　十九歲。

作《仕女圖》，後周閑為題詞『昭君怨』。

二月，英國侵略軍陷虎門炮臺，水師提督關天培等壯烈犧牲。

一八四二年　壬寅　道光二十二年　二十歲

此後一段時間，任熊轉輾流寓於寧波、杭州、蘇州與上海一帶，以賣畫維持生計。

英國侵略軍陷吳淞炮臺，江南提督陳化成力戰犧牲。八月，清廷被迫簽定《江寧條約》（即《南京條約》），第一次鴉片戰爭結束。

一八四三年　癸卯　道光二十三年　二十一歲

洪秀全在廣東縣創立拜上帝會。

一八四四年　甲辰　道光二十四年　二十二歲

是年，簽訂中美《望廈條約》、中法《黃浦條約》

吴昌碩生。

一八四五年　乙巳　道光二十五年　二十三歲

是年，任熊在定海觀吴道子畫，致力於唐人筆意。

洪秀全作《原道救世歌》與《原道醒世訓》。

上海道與英駐滬領事簽訂《上海租地章程》，此為日後租界之始。

一八四六年　丙午　道光二十六年　二十四歲

是年，與同鄉友人陸次山寓杭州西湖，在孤山聖音寺觀貫休十六尊者石刻畫像，寢卧其下，臨摹不倦，更致力於唐人筆意。

洪秀全作《原道覺世訓》。

一八四七年　丁未　道光二十七年　二十五歲

夏五月，作《採藥圖》（現藏浙江省博物館）。其題畫詩，當為任熊早期詩作之一，為五言律詩：

不學梅都尉，不羡王子嶠；
不參白玉京，不事青鸞駕。
撿得五彩芝，擣就玄霜妙；
何不賣人間，人間苦無價。

一八四八年　戊申　道光二十八年　二十六歲

作《博古圖》（後流入日本）。

是年，『始交周閑於錢唐（今杭州），留范湖草堂三年，終日臨撫古人佳畫，略不勝，輒再易一縑，必勝乃已。夜亦秉燭未嘗輟，故畫日益精。』

吴穀祥生。

一八四九年　己酉　道光二十九年　二十七歲

留住范湖草堂。作《秋花圖》四幅。

夏六月為折扇繪《煙柳蘭舟圖》，作題畫詞一闋，是任熊早期詞作之一，調寄《江南好》：

蘭舟好，最好晚凉天。猶整冰盤期夜月。緩鋪歌席傍秋煙，岸柳帶鳴蟬。

是年，沙俄由海上侵入我國黑龍江口和庫頁島地區。

一八五〇年 庚戌 道光三十年 二十八歲

作：《梅花仕女圖》（現藏故宮博物院）。

《斗母天尊圖》（現藏上海博物館）。

《鳳凰牡丹圖》（現藏南京博物院）。

《柳林仕女圖》（現藏中國美術館）。

《桃花錦鷄圖》（現藏沈陽故宮博物院）。

《山水圖》（現藏上海朵雲軒）。

《梅竹翎毛》（現藏天津藝術博物館）。

在范湖草堂遇姚燮。

是年春，約友人共遊鎮江之金山、焦山與北固山。後又遊明州（今寧波）。『游佳山水必造其險奥，一樹一石有奇致，亦必流連其間，曰：「此天生畫本也」。』

是年秋，住寧波姚燮之大梅山館，時而詩畫切磋，經二個多月繪成《大梅山館詩意圖》一百二十幅，為其代表作（現藏故宮博物院）。任熊在自跋中云：『橐筆明州，下榻姚氏大梅山館，與主人復訂金石交，余愛復莊（即姚燮）詩與復莊之愛余畫，若水乳之交融也。暇時復莊自摘其句，屬予為之圖，燈下構稿，晨起賦色，閲二月余得百有二十頁。』此冊内容豐富，題材廣泛，有人物、仕女、鬼神、走獸、花鳥魚蟲、山水樓閣、詩情畫意，珠聯璧合，筆法挺勁有力，粗簡放縱，構圖新穎，設色艷麗，富於變化而又有裝飾味。

為姚燮長子景皋繪《宋元詞句仕女冊》十六幅。

作《仕女圖》横卷，自跋云：『道光庚戌立秋第二日，蕭山任熊於大梅山館。』（圖見《南畫大成》七卷二〇二頁）

後『歸而交里中（即蕭山）曹岣，於時里中人始重其所為畫，杜門者一年。』

一八五一年 辛亥 咸豐元年 二十九歲

是年，任熊作《詩意圖》，題云：『咸豐紀元上元（即正月十五）之日，蕭山任熊自跋。』

作：《雙清圖》（現藏上海博物館）。

《鍾馗圖》（現藏蘇州市博物館）。

《醉酒圖》（現藏浙江杭州西泠印社）。

是年冬，『周閑自楚還，因重至范湖草堂。』

陸恢生。

洪秀全在廣西桂平金田村起義，建號太平天國。

一八五二年　壬子　咸豐二年　三十歲

作：《調琴啜茗圖》（現藏上海博物館）。

《綠蔭晝靜圖》（現藏中央工藝美術學院）。

《桐蔭撫琴圖》（現藏浙江杭州西泠印社）。

《煮藥圖》（現藏湖北武漢市文物商店）。

是年，周閑約任熊『游吴（蘇州），一至滬瀆（上海），有大腹賈，欲以千金交，不樂其請，拒之而去，居華陽道院，與佘鏞、黄鞠、楊韞華、韋光黻、孫聃、齊學裘結書畫之社。』時有聚集雅會，任為主持，為作《雅集圖》卷。

六月，與周閑游靈巖、虎阜（均在蘇州），當時『吴之人輂金幣丐筆墨者，踵相接也。』

此期間當為任熊創作之最旺盛期。

是年，太平軍擬攻南京，江南一帶告警，友人黄鞠（字公壽）已為任熊禮聘劉氏孤女。其父劉文起，名公孫，人稱『有倚相才，下筆萬言立就，性孤傲不可近，獨奇周閑，千里貽書締交，後劉文起死，其孤女留吴中，黄鞠為任熊聘之。』）因時勢緊急，亟寓書招任熊合巹於婦家。

一八五三年　癸丑　咸豐三年　三十一歲

是年二月，任熊去蘇州接劉氏女歸蕭山。

作：《四卷花卉卷》（現藏浙江省博物館）。

《麻姑獻壽圖》（現藏浙江省博物館）。

《蘭亭秋會第二圖卷》（現藏浙江杭州西泠印社）。

《仕女圖》(現藏天津藝術博物館)。

《花鳥圖》(四屏，現藏故宮博物院)。

《列仙酒牌》(四十八幅)

冬十月在滬作《薰籠圖》。(現藏天津藝術博物館)。

倪田(字墨耕)生。

一八五四年　甲寅　咸豐四年　三十二歲

作：《鍾馗圖》(後流入日本)。

《富春山》(現藏天津藝術博物館)。

《鷹樹圖》(現藏上海博物館)。

是年，在吳中(蘇州)，接受沙馥之弟沙英(字家英)為弟子，並與同游金山、焦山之勝。

子任預生，在其彌月的湯餅會上以《列仙酒牌》的鐫刻印片分贈諸親友。

一八五五年　乙卯　咸豐五年　三十三歲

作：《瑶宮秋扇圖》(現藏南京市博物院)。

《四紅圖》(現藏中國美術館)。

《麻姑獻壽圖》(現藏上海朵雲軒)。

《元女授經圖》(現藏天津人民美術出版社)。

《山水仕女》(現藏蘇州市文物商店)。

是年夏，周閑與任熊、陳埴同游焦山，並受到當地駐軍上層的熱情接待，『總帥周公士法，副帥雷公以緘咸器重之，待以上客。』

為周閑作《范湖草堂長卷》二丈，為任熊山水畫之精品。

九月還吳，再與黃鞠、佘鏞、孫聃諸人游。

十二月回蕭山，又杜門一年。

一八五六年　丙辰，咸豐六年，三十四歲

是年，在蕭山。

作：《十萬圖册》（十幅，現藏故宮博物院）。

《蕉蔭睡猫圖》（現藏上海博物館）。

《枯木竹石圖》（現藏浙江杭州西泠印社）。

《復莊先生五十歲像》（已刻版印行）。

《周星詒小像》（現藏上海博物館）。

《少康像》（現藏南京博物院）。

《丁蘭叔（字文蔚）三十歲小像》（現藏浙江省博物館）。

秋重九日，在丁蘭叔大碧山房作《黄菊酒蟹圖》，並為篆刻『豹卿』端石印章一方，此為至今任熊僅存傳世的印章。

作《自畫像》（現藏故宮博物院）。上題《十二時》長詞一闋，文如下：

『莽乾坤，眼前何物？翻笑側身長繫，覺甚事紛紛攀倚，此則談何容易！試説豪華，金、張、許、史，到如今能幾？還可惜鏡換青娥，塵掩白頭，一樣奔馳無計。（第一段）

更誤人，可憐青史，一字何曾輕記！公子憑虚，先生希有，總難為知己，且放歌起舞，當途慢憎頹氣。（第二段）

算少年，原非是想，聊寫古來陳例，誰是愚蒙？誰為賢哲？我也全無意。但恍然一瞬，茫茫淼無涯矣！（第三段）』

作：《劍俠傳》三十三幅（蔡照初鐫板印行）。

《於越先賢傳》八十幅（蔡照初鐫板印行）。

一八五七年　丁巳　咸豐七年　三十五歲

作：《椿萱茂圖》（現藏上海博物館）。

《禿樹寒山圖》（現藏浙江寧波天一閣）。

《湖石仕女圖》（現藏天津藝術博物館）。

閏五月，任熊有疾。

仲夏扶病作《秋林共話圖》，並自題詩云：

『竹筍繩床白晝眠，
嵯峨瘦骨更難便；
起尋楮墨閑塗抹，

秃樹寒山想老蓮。』

『八月，周閑過蕭山，約游不果。九月自天台還，任熊留之宿，談讌浹旬，謂湘雲寺後巖石壁立，作種種雲頭皴，為天下第一奇勝，不可不游。時其疾未瘳，辭俟後約，任熊不可，力疾掉扁舟泛湘湖，步至寺後，酌鸜鵒杯，相賞甚樂，晚過曹氏（即曹岣）茸倉堂飲。任熊自有疾，不出户者五閱月，周閑來，始偕出尋故人，攬名勝，興致頓佳。』

『十月，疾大作，初七卒於家，年三十五歲。』『卒之日，吴越之民皆嘆息不已。』

最後作品有《高士傳》，僅止上卷二十六人，尚缺被衣、顏子兩圖，經蔡照初鐫板後，同邑王齡為刊印。

任熊病故後，其『未竟之作，子春（即沙英，任熊弟子），完成之，能盡師法。』

參考資料：

一、《蕭山任氏家乘》卷十三。

二、周閑《范湖草堂遺稿》卷一。

三、方若《海上畫語》。

四、丁文蔚《列仙酒牌·序》。

五、沙家英《高士傳·序》。

六、王齡《高士傳·序》。

附錄二：任熊傳世的主要作品

一八四一年　辛丑　清道光二十一年　任熊十九歲
作《仕女圖》
一八四七年　丁未　道光二十七年　任熊二十五歲
作《採藥圖》（現藏浙江省博物館）
一八四八年　戊申　道光二十八年　任熊二十六歲
作《博古圖》（已流入日本）
一八四九年　己酉　道光二十九年　任熊二十七歲
作《秋花圖》（四幅）
《煙柳蘭舟圖》（扇頁）
《濃蔭會友圖》（成扇現藏浙江杭州西泠印社）
一八五〇年　庚戌　道光三十年　任熊二十八歲
作《斗母天尊圖》（現藏上海博物館）
《鳳凰牡丹圖》（現藏南京博物院）
《花鳥圖册》二十開（現藏南京博物院）
《玉蘭雙鸞圖》（現藏南京博物院）
《梅花仕女圖》（現藏故宫博物院）
《瑤臺祝壽圖》（六條通景挂屏）
《大梅山館詩意圖册》（一百二十幅，現藏故宫博物院）
《宋元詞句仕女圖》（一十六幅）
《山水圖》（現藏上海朵雲軒）
《柳林仕女圖》（現藏中國美術館）
《桃花錦鷄圖》（現藏沈陽故宫博物院）
《花卉圖册》（二十幅，現藏南京博物院）
《花鳥圖》（四屏，現藏浙江省博物館）
《補景仕女圖》（現藏浙江天一閣）
《琵琶半掩圖》（紈扇）

《梅花仕女圖》（横幅，紙設色，現藏上海文物商店）

一八五一年　辛亥　咸豐元年　任熊二十九歲

作《雙清圖》（現藏上海博物館）

《臨陳洪綬鍾馗圖》（現藏蘇州市博物館）

《詩意圖》

《花鳥圖》（四屏　現藏浙江省博物館）

《醉酒圖》（現藏浙江杭州西泠印社）

《山水》（扇頁　現藏鎮江市文物商店）

一八五二年　壬子　咸豐二年　任熊三十歲

作《調琴啜茗圖》（現藏上海博物館）

《桐蔭扶琴圖》（現藏浙江杭州西泠印社）

《緑蔭畫静圖》（現藏中央工藝美術學院）

《煮藥圖》（現藏湖北省武漢市文物商店）

《人物》

一八五三年　癸丑　咸豐三年　任熊三十一歲

作《四季花卉卷》（現藏浙江省博物館）

《花卉圖册》（十二幅　現藏浙江省博物館）

《麻姑獻壽圖》（現藏浙江省博物館）

《蘭亭秋會第二圖卷》（現藏浙江杭州西泠印社）

《仕女》（現藏天津藝術博物館）

《花鳥圖》（四屏　現藏故宫博物院）

《人物》（現藏蘇州古吴軒）

《紈扇仕女圖》（現藏新加坡國立大學李港乾美術館）

《薰籠圖》（現藏天津藝術博物館）

《列仙酒牌》（四十八幅　於次年由蔡照初鐫板印行）

一八五四年　甲寅　咸豐四年　任熊三十二歲

作《花卉圖》（四屏　現藏天津藝術博物館）

《鷹樹圖》（現藏上海博物館）

《富春山圖》（現藏天津藝術博物館）
《鍾馗圖》（已流入日本）
一八五五年　乙卯　咸豐五年　任熊三十三歲
作《瑶宫秋扇圖》（現藏南京博物院）
《范湖草堂圖卷》（現藏上海博物館）
《臨院本山水》（現藏上海博物館）
《四紅圖》（現藏中國美術館）
《麻姑獻壽圖》（現藏上海朵雲軒）
《三星圖》
《元女授經圖》（現藏天津人民美術出版社）
《山水仕女》（現藏蘇州市文物商店）
一八五六年　丙辰　咸豐六年　任熊三十四歲
作《升衮圖》（現藏北京徐悲鴻紀念館）
《丁蘭叔三十歲小像》（現藏浙江省博物館）
（注：許多本均寫成為三十六歲，實誤）
《蕉蔭睡猫圖》（現藏上海博物館）
《周星詒小像》（現藏上海博物館）
《十萬圖册》（十幅　現藏故宫博物院）
《自畫像》（現藏故宫博物院）
《復莊先生五十歲像》
《少康像》（現藏南京博物院）
《四季花卉》（四屏　現藏浙江省博物館）
《枯木竹石圖》（現藏浙江杭州西泠印社）
《論古圖》（現藏浙江杭州西泠印社）
《羅浮仙影圖》（現藏浙江嘉興市博物館）
（注：此圖任熊與費以耕合作）
《臨陳無名人物》（現藏故宫博物院）
《黄菊酒蟹圖》

《梅樹圖》

《瘦影自憐圖》

《劍俠圖》（三十三幅　已製刻版流行）

《於越先賢圖》（八十幅　已製刻版流行）

一八五七年　丁巳　咸豐七年　任熊三十五歲

作《椿萱并茂圖》（現藏上海博物館）

《禿樹寒山圖》（現藏浙江寧波天一閣文物保管所）

《山水圖》

《湖石仕女圖》（現藏天津藝術博物館）

《人物》（扇頁　現藏蘇州市博物館）

《秋林共話圖》（現藏故宮博物院）

《高士圖》（二十六幅　已製刻版流行）

未標明年月的作品，主要有：

《人物圖册》（現藏美國舊金山加佛尼亞大學柏克萊分校高居翰教授處）

《人物畫册》（現藏廣州美術館，內有『管夫人像』、『養馬圖』、『老子像』、『張旭像』等）

《人物山水册》（十二幅　二十九點二×三十四點三厘米　現藏上海博物館）

《人物山水册》（十二幅　二十七點二×三十四點二厘米　現藏上海博物館）

《人物山水册》（十一幅　二十七點二×三十四點二厘米　現藏上海博物館）

《洛神像》（現藏上海博物館）

《湘夫人像》（現藏上海博物館）

《蒲塘清逸圖》（現藏上海博物館）

《鯉魚圖》（現藏上海博物館）

《元章拜石圖》（現藏故宮博物院）

《石湖烟雨圖》（現藏故宮博物院）

《早貴圖》（現藏故宮博物院）

《紫綬金章圖》（現藏故宮博物院）

《靈龜雙蛙圖册》（二件　現藏故宮博物院）

《牡丹圖》（現藏故宮博物院）

《麻姑獻壽圖》(現藏故宫博物院)

《梅花》(現藏故宫博物院)

《牡丹》(扇頁 現藏故宫博物院)

《花卉》(扇頁 現藏故宫博物院)

《達摩面壁圖》

《范蠡泛舟圖》

《阮咸彈阮圖》

《桃根打柴圖》

《柳燕圖》(現藏故宫博物院)

《蕉葉仕女圖》(現藏中央美術學院)

《東坡先生笠屐圖》(現藏寧波天一閣)

《風塵三俠圖》(現藏江蘇省美術館)

《仙女騎鹿圖》(現藏蘇州市文物商店)

《寫孫道徇詞意圖》(現藏蘇州博物館)

《湖上吟秋圖》(現藏浙江省温州博物館)

《人物》(現藏浙江省蕭山市文管會)

《人物》(册 十二開二十一×二十七厘米現藏浙江省杭州市文物考古所)

《人物木刻稿本》(册 二十開 現藏浙江省杭州市文物考古所)

《竹石白兔圖》(現藏浙江杭州西泠印社)

《四季花卉》(四屏 現藏浙江杭州西泠印社)

《花卉》(四屏 現藏浙江杭州西泠印社)

《曳林觀松圖》(扇頁 現藏浙江杭州西泠印社)

《荷花翠鳥圖》(現藏浙江省博物館)

《雉鷄圖》(現藏浙江省博物館)

《鍾馗試劍圖》(現藏浙江省博物館)

《蕉葉仕女圖》(現藏中央美術學院)

《晚妝初卸圖》(據一九八七年《蕭山縣志》載：原為該縣庫藏，後被浙江省文化局調去)

《摹陳洪綬劉基授經圖》（橫幅，紙、設色二十七點三×六十一點二現藏廣東省博物館）

《清湘風雨》（現藏天津藝術博物館）

《梅花仕女》（現藏天津藝術博物館）

《柳鴨圖》（現藏天津藝術博物館）

《柳燕圖》（現藏天津藝術博物館）

《梅花翎毛》（現藏天津藝術博物館）

《牡丹》（扇頁 現藏蘇州博物館）

《花卉》（扇頁 現藏浙江省博物館）

《泰山行旅圖》（扇頁 現藏南京博物院）

《山水》（紈扇 現藏南京博物院）

《女仙圖》（現藏廣州美術館）

《十古人游樂圖》（冊 十開 二十七點五×二十七點厘米）

《草聖圖》（絹本設色，縱二十一厘米，橫二十三厘米，滬上私人藏）

《畫龍點睛》（扇頁，海門潘正祥藏）

《荷塘仕女圖》（册頁現藏美國加州大學美術館）

《人物圖》（二頁册頁藏仝前）

《夏日家居》（軸，河北灤縣劉紹霆藏）

《雄鷄》（軸，河北灤縣劉紹霆藏）

另外從已出版的畫册、畫譜中載任熊的作品有：《姚梅伯題任渭長人物》十二幅（商務印書館一九一九年（民國八年）印本）

《任熊畫本》四十幅（同文書局 光緒年間石印本，全書名《畫譜全書》）

《任熊十六應真圖》册頁十六幅（見重慶出版社一九九五年九月出版，全書名《清代人物畫風》）

《任渭長人物花鳥册》（劉穗九藏，民國珂羅版）收山水、人物、花鳥等十幅未見出版者，當為個人自印本

注：劉穗九為一九二九年間上海美術專門學校校長，同年四月一日創《葱嶺》季刊，同年九月十日第二期後停辦，創刊號扉頁有他作的校歌。

附錄三：任處士傳（見周閑：《范湖草堂遺稿》）

任熊，字渭長，越之蕭山人。善畫，冠大江南北。亦能吟詩、填詞，諸子百家咸涉獵。性耿介，好奇，有節概，不可一世。故生平交友，落落可數。而其為人，亦莫著於交游間。道光歲戊申，始交周閑於錢唐，留范湖草堂三年，終日臨撫古人佳畫，略不勝，輒再易一縑，必勝乃已。夜亦屏燭未嘗輟，故畫日益精。周閑喜客，客多誦任熊名，故名日益盛。歲庚戌，周閑為楚游，偕往吴中。交陳埙、黄鞠、楊韞華，復與陳埙送别。至京口，遍游金、焦、北固三山，還留吴，交佘鏞、孫聃，再偕陳埙游明州。先在范湖草堂遇姚燮，愛其才，至是即主姚燮。歸而交里中曹岣，於時里中始重其所為畫，杜門者一年。

咸豐紀元辛亥冬，周閑自楚還，因重至范湖草堂。明年約游吴，一至滬瀆，有大腹賈，欲以千金交歡，不樂其請，拒之而去。居華陽道院，與佘鏞、黄鞠、楊韞華、韋光黻、孫聃、齊學裘結書畫之社。六月，周閑後至，游靈巖、虎阜，凡名山川莫不有兩人蹤跡。吴之人，輦金幣丐筆墨者，踵相接也。歲盡始歸，介休有劉文起者，名公之孫，有倚相才，下筆萬言立就，性孤傲不可近，獨奇周閑，千里貽書締交。後劉文起死，其孤女留吴中，黄

鞠為任熊聘之。周閑喜曰：『故人有佳婿矣。』歲癸丑二月，任熊來吴娶婦，歸蕭山，復杜門。時粤逆南陷潤州，北據瓜步，周閑從樓船諸軍，扼京口，馳尺一相招。歲己卯夏，偕陳埙重游焦山，總帥周公士法，副帥雷公以誠，咸器重之，待以上客。為周閑作《范湖草堂長卷》二丈，稱傑構。九月還吴，再與黄鞠、佘鏞、孫聃諸人游。十二月歸，又杜門者一載。

歲丁巳閏月始有疾，八月周閑過蕭山，約游天台，不果偕。九月周閑自天台還，任熊留之宿，談宴浹旬，謂湘雲寺後，巖石壁立，作種種雲頭皴，為天下第一奇勝，不可不游。時其疾未瘳，辭俟後約，任熊不可，力疾掉扁舟載酒，泛湘湖，步至寺後，酌鸚鵡杯，相賞甚樂，晚過曹氏葦倉堂飲。任熊自有疾不出户者五閲月，周閑來，始偕出尋故人，攬名勝，興致頓佳。周閑既西，乃復伏枕。十月疾大作，初七日卒於家。年三十五歲。

任熊畫，初宗陳洪綬，後出入宋元諸大家，兼躡兩唐，變化神妙，不名一法。古人所能無不能，亦無不工。其佈局、運筆，慘淡經營，不期與古人合，而間有古人所不能到。設色精采，復能勝於古人。當其一稿甫脱，零縑片楮，識與不識，悉皆珍若珙璧。且有竊其殘墨賸本奉為規模者，猗與盛哉，畫之聖矣。其已鐫版流傳，有列仙、劍俠、越中名賢

諸象。家綦貧，作畫得金以養母，蓄妻子，然自矜貴。遇知己竭百日力不少倦，非其人雖一筆不苟為也。詩寫性靈，詞有逸趣。然嘗語人曰：『浙東有姚燮，浙西有周閑，文章盡於二人矣，吾復何為乎？』故自題畫之外，不多作。生有濟勝之具，游佳山水，必造其險奧，一樹一石，有奇致亦必流連其間，曰『此天生畫本也』。

人短小精悍，眉目間有英氣。少失父，事母能孝，視弟妹能友愛，與人交坦白和易，能久而益敬。唯不能見生客，客而衣冠者，尤無寒暄言，若齷齪之輩，益默終日。楊韞華、韋光黻皆一時名下士，及其死也，先後傾資助其喪，未嘗少惜。能馳馬，能關弓霹靂射，能為貫跤諸戲，能刻畫金石，能斫桐為琴，鑄鐵成簫笛，皆分刌合度，能自製琴曲，春秋佳日，以為娛悦。能飲酒，不多亦不醉，頗耆茶，有盧仝之僻，然以味釅為美，不辯精粗也。卒之日，吳越之民皆嘆惜不已。有丈夫子二曰立城、立墀。

（文中標點為編者所加）

附錄四　任熊友人簡錄（附弟子）

周閑（一八二〇——一八七五），字存伯，一字小園，號范湖居士，書畫篆刻家，室名范湖草堂，浙江秀水（今嘉興）人。後寓上海。道光季年（一八五〇）客吳縣（今蘇州），同治初官新陽令，與大吏齷齪，掛冠而歸。精花卉，善繪仕女，擅詩詞，工篆刻。著有《范湖草堂遺稿》等。

姚燮（一八〇五——一八六四），字梅伯，號復莊，又號大梅山民。室名大梅山館、疏影樓。愛國詩人、畫家，浙江鎮海人，後居鄞縣。清道光舉人，擅長詩、詞、曲、駢文及繪畫，尤擅畫梅。鴉片戰爭中他以歌作為反侵略鬥爭的武器，揭露英軍罪行，譴責投降派。著有《復莊詩詞》、《疏影樓集》、《大梅山館集》、《今樂考證》等。

黃燮清（一八〇五——一八六四），原名憲清，字韻甫，號吟香詩舫主人，室名拙宜園、倚晴樓，浙江海鹽人。道光舉人，後雖録用湖北知縣，因病不赴。工樂府，善詞、畫，山水超秀，著有《倚晴樓集》。

黃鞠（一七九六——一八六〇），字秋士，一字公壽，號菊癡、湘華館子，室名湘華館、衍波閣，華亭（今松江，屬上海）人。畫家，善山水及花卉，亦工人物，仕女，陶澎撫吴，修滄浪亭成，諸畫家繪圖俱不當意，獨鞠圖為稱賞，延之幕中，畫惠山全圖及補聽松廬竹罏圖，亦為陶所賞。亦善篆刻、詩書。著有《湘華館集》。

陳塤（？——一八六〇），字葉篪，錢唐（今杭州）人。篆刻家。寓吴中（今蘇州），印宗浙派，周閑為撰傳，録入《范湖草堂集》。

楊韞華，號稚雲，一號遲雲，元和（今蘇州）人。為當時蘇州畫家褚仙根的妹婿。天才俊逸，文學柳宗元，詩學陶、韋，偶學畫松，晚兼畫梅，咸豐元年（一八五一）作《梅花册》。

韋光黻，字漣懷，號君綉，又號洞虚子，長洲（今蘇州）人。性通敏，博覽群書及岐黄家言，少從顧耕石（元熙）游，書法酷類乃師。工詩，以書名於鄉里。

齊學裘，字子貞，號玉溪，字微婺源（今屬江西）人。畫家。光緒間寓上海，住南園之湛華堂。與劉熙載、毛祥麟等時相過從。著有《蕉窗詩鈔》等。

王玉璋，字鶴舟，號松巢外史、庵隱山人，天津人。曾任雷州知府，後僑寓吴門（今蘇州），善畫山水，喜藏硯，所居名凍玉館、凍雲館。著有《凍雲館詩集》。

陸俣，字侶松。事見《微廬偶筆》所載：『工畫山水，筆法蒼勁，枝葉條暢，不愧名手。』

丁文蔚（一八二七——一八九〇），字豹卿，號韻琴，蘭叔，浙江蕭山人。書畫家，兼善刻竹，曾任福建長樂知縣。

蔡照，原名照初，字容莊，浙江蕭山人。諸生，客杭州富商胡雪岩家，能篆隸，好刻印，精鑒別古金石文，善刻竹木，論者方之新安黄君倩，他如摹勒碑板，罔不精妙。任熊所繪《列仙酒牌》、《劍俠傳》、《於越先賢傳》、《高士傳》，等均為其所刻，筆法精細，令人嘆為觀止。（事見褚德彝之《竹人續録》，引自《滌山筆記》）

曹岣，字子嶙，浙江蕭山人。書法家，室名葦倉堂，曾為任熊《列仙酒牌》作序。

沙英（一八三五——一八七八），字子春，又名家英，畫家沙馥之弟，蘇州人。為任熊弟子，任熊病故後，其未竟之作，均由其代為完成之。

潘椒石，任熊弟子，畫花卉果品，筆極疏秀，而章法頗奇。論者以野狐禪目之。（見張鳴珂《寒松閣談藝瑣録》）

任預，渭長子，秉賦穎悟，山水、人物、花卉俱精，出筆清逸，兼精篆刻。

任昭容，任熊女，善花卉，得惲南田没骨法。行楷娟秀兼嫻詩詞。

主要參考文獻：

《蕭山任氏家乘》
《海上畫語》（文若著）
《范湖草堂遺稿》（周閑著）
《海上墨林》（楊逸著）
《中國大百科全集·美術卷》
《十大畫家》（邵洛羊主編）
《中國美術全集·繪畫十一卷》
《中國文明史·十卷》
《中國美術通史·六卷》（王伯敏主編）
《任熊和他的自畫像》（張安治）
《我畫漫畫五十年》（詹同）
《姚燮評傳》（洪克夷）
《讀任熊的自畫像》（聶崇正）
《近代畫家概論》（沈珊若）
《近數十年畫者評》（黄賓虹）
《文物鑒賞指南》（馬承源主編）
《近百年來中國繪畫之發展》（鄭振鐸）
《中國古代繪畫概述》（鄭振鐸）
《江蘇歷代畫家·任熊》（周積寅）
《淞南夢影録》（黄協塤）
《中國美術知識·上海畫派》（龔産興）
《任渭長生平事略考》（龔産興）
《從江蘇歷代繪畫展覽會談明清的繪畫》（俞劍華）
《任熊與阮咸彈阮圖》（周金冠）
《任伯年評傳》（徐悲鴻）
《寒松閣談藝瑣録》（張鳴珂著）
《歷代流傳繪畫編年表》（徐邦達）

《關於版畫創作的評論》(王琦)
《中國書畫鑒賞辭典》(郎紹君等)
《任渭長的版畫》(鑒齋)
《楊新美術論文集》(楊新著)
《中國美術社團漫録》(許志浩)
《任熊十萬圖册》(單國强)
《任熊綉像木刻人物四種》(汪子豆)
《中國美術史標準教材》(徐建融著)
《洋洋大觀的清代人物畫》(林木)
《中國古代花鳥畫百圖》(劉玉山編)
《中國書畫》(楊仁愷著)
《木雁齋書畫鑒賞筆記》(張珩著)
《中國繪畫變遷史綱》(傅抱石著)
《中國繪畫史》(潘天壽著)
《中國美術發展史》(劉思訓著)
《中國繪畫學史》(秦仲文著)
《鷗堂日記》(周星譽著)
《藝風堂友朋書札》
《蕭山書畫人物志》(周明道著)

說明：此評傳一、二部份曾刊載於二〇〇〇年《故宫博物院院刊》第二期